Elogios para Jorge Cruise y su plan de adelgazamiento en 8 minutos

"¡La revolución de las tablas de ejercicios de los programas de entrenamiento!"
—The New York Times

"¡Un plan muy atrayente!"
—The Washington Post

"Pierde casi un kilo a la semana."
—USA Weekend

"Te pondrá en forma, bien firme y sintiéndote fabulosa, sin ni siquiera sudar."
—Revista First for Women

"El plan perfecto cuando se dispone de poco tiempo."
—Revista Prevention

"SIN viajes al gimnasio. SIN interminables caminatas. SIN complicados planes de comidas. Una estrategia rápida fundamentada científicamente que ya ha ayudado a adelgazar a millones de personas."
—Revista Woman's World

"¡Jorge Cruise es el último gurú del adelgazamiento en Estados Unidos!"
—Revista Better Nutrition

"Jorge Cruise garantiza que vamos a estar guapísimos en bañador."
—CNN

"Pierde casi un kilo a la semana en 8 minutos."
—Programa Early Show, de la CBS

"Bastan ocho minutos para hallarse en el buen camino para ponerse en forma."
—ABC News

"Jorge Cruise tiene respuestas que realmente funcionan y que casi no exigen nada de tiempo. Lo recomiendo vivamente."
—Dr. Andrew Weil, Director del Programa de Medicina Integral, Universidad de Arizona

"¡Funciona!"
—Denise Austin, Presentadora del programa Daily Workout de la cadena Lifetime TV

"¡Te prepara para ganar!"
—Anthony Robbins, autor del n.° 1 en ventas Controle su destino despertando al gigante que lleva dentro

8 Minutos por la MAÑANA® para un Vientre Plano

8 Minutos por la MAÑANA® para un Vientre Plano

Pierde hasta 15 centímetros en menos de 4 semanas. ¡Garantizado!

JORGE CRUISE®

Autor incluido en la lista de *best sellers* del *New York Times*, con más de 3 millones de clientes *online* para perder peso

TUTOR

Editor: Jesús Domingo
Coordinación editorial: Paloma González
Traducción: Joaquín Tolsá
Revisión técnica: Alberto Muñoz Soler

Traduccion pori: Ediciones tutor, S.A.-Madrid-Espana
Publicado en EE.UU. por Rodale Inc.

ISBN: 84-7902-495-X
Impreso en U.S.A. – *Printed in U.S.A.*

A todos mis ciberclientes de JorgeCruise.com que me enviaron miles de mensajes por correo electrónico pidiéndome que escribiera este libro, para ayudarles a conseguir esta ventaja especial para modelar rápidamente un vientre plano. ¡Que aproveche!

Agradecimientos

En primer lugar, quiero manifestar mi agradecimiento a mis 3 millones (y subiendo) de clientes de adelgazamiento de mi web *JorgeCruise.com* a quienes he tenido el honor de entrenar. Sin todas sus reacciones, sus agudas observaciones y su apoyo, la marca de adelgazamiento Jorge Cruise no habría tenido el éxito que hoy disfruta.

También debo dar las gracias a Oprah Winfrey, la gran dama que lanzó mi carrera. Me invitó como huésped a su *show* de Chicago y me presentó a dos personas cuyas vidas habían cambiado debido a mi sitio web. Nunca olvidaré aquel día. Desde aquel momento, supe que Internet era un poderoso recurso que podría cambiar la vida y el cuerpo de las personas.

Heather, mi mujer, a quien tanto amo. Gracias de nuevo, cariño, por ser mi fuente de amor, equilibrio, relax y diversión. Me has demostrado en qué consiste la vida en realidad y cómo disfrutarla en plenitud. Te amo con todo mi corazón y toda mi alma.

A mi madre, Gloria, que es la estrella resplandeciente en mi cielo que me protege. A mi padre, Mel, por ser el hombre que me inspiró por su original pérdida de peso. A mi hermana, Marta, que perdió casi 14 kilos y ahora ayuda al mundo con sus libros sobre contactos, relaciones de pareja y amor. A mi abuela María por mostrarme que a los 92 años de joven edad ¡el entrenamiento de resistencia puede también darte años de vida! A mi abuelo George y a mi abuela Dorothy, que fallecieron ambos por padecer sobrepeso... Prometo que nunca olvidaré la lección de vuestro fallecimiento sobre lo esencial que es dominar tu salud antes de que sea demasiado tarde. Os quiero a todos.

A Phyllis McClanahan, mi ayudante personal y mano derecha. Gracias por mantenerme concentrado y organizado. ¡Eres inestimable! A Lisa Sharkey, mi amiga, que tiene un corazón de oro. A Bruce Barlean y toda su familia. Gracias por todo. A mi compinche y buen amigo, Jade Beutler, y su familia. A Ben Gage y su extraordinaria habilidad para la negociación y sus capacidades jurídicas. A todos mis amigos de Guthy-Renker, HarperCollins y Hay House. ¡Muchísimas gracias a todos!

Muchas gracias muy especiales a Rodale Books por todo su apoyo inicial con mis libros de la serie 8 Minutos. En particular, a Alisa Bauman por ayudarme a transmitir el mensaje, Kelly Schmidt por gestionar todos los detalles del proyecto, Chris Rhoads por sus extraordinarias aptitudes para el diseño, Jackie Dornblaser por ponerme donde tenía que ir, y Stephanie Tade, que hizo de verdad posible este proyecto. También mis gracias especiales a Dana Bacher, Marc Jaffe, Steve Murphy y la familia Rodale.

A mi equipo estelar en la revista *Prevention* por ayudarme a hacer llegar cada mes mi columna sobre pérdida de peso a 11 millones de lectores. Rosemary Ellis, Michele Stanten y Robin Shallow, ¡sois los mejores!

Jan Millar, mi agente literaria, y Michael Broussard, su mano derecha, gracias por ponerme en comunicación con la gente más importante del mundo literario. Jan, eres una joya. Deseo fervientemente que te ocupes durante toda la vida de los grandes libros sobre adelgazamiento que yo pueda escribir.

Y finalmente, a mi extraordinario y mágico equipo de relaciones públicas: Cindy Ratzlaff y Cathy Gruhn de Rodale, Mary Lengle de Spotted Dog Communications, y Arielle Ford y Catherine Kellmeyer del Ford Group de San Diego. ¡Muchas gracias a todos desde el fondo de mi corazón por vuestro duro trabajo, vuestro tiempo y vuestros esfuerzos! ¡Gracias, gracias, gracias!

Índice

Introducción 15

Desde el escritorio de Jorge Cruise® 17

Parte 1: Tu vientre plano

Capítulo 1

8 Minutos para un vientre plano: descubre por qué perderás hasta 15 centímetros 23

Capítulo 2

La revolución de Jorge Cruise®: descubre el poder que para quemar grasa tiene generar músculo magro 31

Parte 2: Cómo funciona

Capítulo 3

Paso 1: Ejercicios en 8 minutos® 41

Capítulo 4

Paso 2: Come nutritivamente, *no* emocionalmente® 53

Parte 3: El Programa

Capítulo 5

Puesta en práctica del Plan de Jorge Cruise®: Tres niveles de desafío, un solo vientre plano   77

Capítulo extra

Secretos adicionales sobre el vientre plano   199

Conviértete en un astro del adelgazamiento   203

Las páginas de sinergia   205

Acerca del Autor   207

Introducción

Me encanta este programa. Hasta ahora *he perdido algo más de 18 kilos y 40,6 centímetros de cintura*. No me he sentido tan bien desde hace años. Mi médico alucina cada vez que voy a hacerme un chequeo. Ya no tomo medicación para la tensión arterial, tengo menos jaquecas y mis rodillas no me duelen como solían antes de adelgazar. Y cuando miro fotos mías en el momento que más pesaba, ¡me quedo asombrada de lo enorme que estaba! Sabía que estaba muy gruesa, pero nunca me di cuenta de *hasta qué punto*. He guardado algunas de mis prendas de vestir para "gordas" y ahora me quedan muy grandes, lo cual es, por sí solo, una gran recompensa. No he tenido mejor aspecto ni me he sentido tan bien durante mucho tiempo. Es como si hubiera encontrado finalmente la correcta vía de escape que me permitiera salir de la autopista de la infelicidad. Son muchas las cosas que cambian a mejor en la vida de una persona cuando adelgaza y lleva un estilo de vida saludable.

¡Ann perdió 40,6 centímetros!

Es sorprendente cuánto puede influir en tu vida perder unos cuantos kilos. El programa de Jorge es la respuesta. No necesitas pasar interminables horas en el gimnasio, ni tienes que comprarte nada de caro equipo para hacer ejercicio. Desde que empecé su programa me siento llena de energía, me encuentro más sana, y soy mucho más feliz. Noto que puedo mantener una mejor postura y que mis músculos están empezando a afirmarse cada vez más. Le recomendaría el programa de Jorge a cualquiera. El programa de Jorge también ha influido a algunos de mis amigos y familiares y me entusiasma difundir la noticia. **Si alguien está por ahí preguntándose si éste es el programa que le conviene, quiero de todo corazón que sepas que *Jorge tiene la respuesta*.** Si estás listo para comprometerte a hacerte cargo de tu vida, ésta es la respuesta. Puedes hacerlo. El programa de Jorge es sencillo, gratificante y llevadero. Cambiará tu vida a mejor. Que éste sea el día en que te comprometas a cambiar. Puedes hacerlo. Sé que puedes.

—Ann Kirkendall, cliente de *JorgeCruise.com*

Desde el escritorio de Jorge Cruise®

Querido amigo/Querida amiga:

¡Bienvenido/Bienvenida a mi FLAMANTE libro *8 Minutos por la Mañana para un Vientre Plano*! Quiero felicitarte por elegirme para ser tu entrenador, y agradecértelo. Juntos estamos a punto de embarcarnos en una aventura única.

Probablemente te estés preguntando cómo en las próximas 4 semanas vas a perder hasta 15 centímetros de grasa en el vientre en sólo 8 minutos al día. Bueno, la respuesta es que hay una revolución en marcha en el campo del adelgazamiento. El aeróbic y las dietas han pasado de moda. Y en cambio lo está el *entrenamiento de resistencia*. Los expertos están de acuerdo en que la manera más rápida de adelgazar es generar tejido muscular magro, que quema grasa. El problema es que nadie tiene tiempo de hacer ejercicio.

Pues bien, mi programa *8 Minutos por la Mañana para un Vientre Plano* ha cambiado las reglas. Te capacitará para perder la grasa ventral en casa y en tan sólo unos pocos minutos al día.

Así que he aquí lo que quiero que hagas ahora mismo: en primer lugar, lee las Partes 1 y 2 del libro. Te mostrará cómo funciona el programa. Una vez que hayas leído esas secciones, estarás preparado para pasar a la Parte 3. Allí, empezarás a perder hasta 15 centímetros en menos de 4 semanas (en tan sólo 8 minutos al día). ¡Buen provecho! ¡Espero que lo disfrutes!

Tu amigo,

JorgeCruise

El especialista número 1 de Estados Unidos en adelgazamiento *online*
www.jorgecruise.com

P.D.: Para mantenerte motivado, consulta, por favor, la pág. 203.

Parte 1

Tu Vientre Plano

Capítulo 1

8 Minutos para un vientre plano

Descubre por qué perderás hasta 15 centímetros

comprométete

Gracias por elegirme como entrenador para adelgazar. ¡Te felicito por comprometerte a transformar no sólo tu vientre, sino también tu vida!

Desarrollé mi programa *8 Minutos por la Mañana para un Vientre Plano* con las reacciones de millones de personas como tú. A través de mi sitio web, *www.jorgecruise.com*, he tenido el honor de ayudar a que más de 3 millones de clientes perdieran la grasa pertinaz, acabasen con la alimentación emocional y dieran con confianza los primeros pasos para una nueva vida, una vida llena de posibilidades. Comprendo perfectamente el ímprobo esfuerzo que supone adelgazar y mantenerse. He pasado por ello. Luché con el peso de niño y de joven. Vengo de una familia de gente obesa. Nos esforzábamos denodadamente por adelgazar y dar la talla. Fue esa lucha la que me condujo al trabajo al que estoy dedicando mi vida entera.

Por eso estoy tan entusiasmado por ti. Estás a punto de empezar una transformación que revolucionará tu vida... y tu abdomen.

la revolución de los 8 minutos

Vamos ahora con la gran pregunta que probablemente te has estado haciendo desde que cogiste este libro. ¿Cómo perderás hasta 15 centímetros en menos de 4 semanas y en tan sólo 8 minutos al día?

Para entender la respuesta a esa pregunta, tengo antes que contarte un secreto. Verás, hay una revolución en marcha en el campo del adelgazamiento. El ejercicio cardiovascular (también conocido como aeróbic) y las dietas están pasados de moda. Lo último es el entrenamiento de resistencia. Los expertos coinciden actualmente en que para perder grasa en cualquier parte del cuerpo, y en especial en el abdomen, hay que generar tejido muscular magro.

las ventajas de tus "8 minutos"

En tan sólo 8 minutos cada mañana:

- Afirmarás y tonificarás los músculos de tu vientre.
- Quemarás la grasa que está escondiendo tu precioso abdomen.
- Perderás hasta un kilo de grasa a la semana.
- Reducirás tu cintura.
- Mejorarás tu salud.
- Incrementarás la confianza en ti mismo.

La musculatura magra proporciona la clave que abre la cerradura incluso del metabolismo más aletargado. Acelera tu metabolismo y quemarás calorías durante todo el día, incinerando la grasa de tu abdomen que está ocultando esos preciosos músculos del vientre.

Por eso todos mis programas de 8 Minutos por la Mañana se concentran en generar tejido muscular magro. Hace falta como mínimo media hora de ejercicio aeróbico para quemar la misma cantidad de calorías que el incesante impulso metabólico de 24 horas al día y 7 días a la semana que consigues con tan sólo 8 minutos diarios de entrenamiento de resistencia. Si has estado evitando el ejercicio físico porque pensabas que no tenías tiempo para entrenarte, me alegra poder decirte que *8 Minutos por la Mañana para un Vientre Plano* cambia las reglas. En tan sólo 8 minutos al día, generarás el músculo necesario para acelerar tu metabolismo e incinerar la grasa de tu abdomen. Ningún otro programa de adelgazamiento proporciona un rendimiento tan grande con una inversión tan pequeña. Acepta el reto de los 8 minutos. ¡Bien vale la pena el tiempo que le dediques!

probado por personas como tú

¿Todavía te sigues preguntando cómo es posible que pueda yo prometer resultados tan extraordinarios en tan sólo 8 minutos al día?

He aquí un poco más de información sobre cómo creé este maravilloso programa de ejercicio físico. Como dije antes, a través de mi club en línea *JorgeCruise.com*, he tenido el privilegio de trabajar con 3 millones de clientes *online*. Y mis ciberclientes no tienen tiempo que perder. Son personas muy atareadas con la agenda a rebosar. Quieren adelgazar de la manera más eficaz y sencilla posible. Así es cómo "Pérdida de Peso para Personas Ocupadas" se ha convertido en la razón de ser de la marca Jorge Cruise®. Me dedico en cuerpo y alma a ayudar a adelgazar y a mantenerse delgadas a personas con problemas de tiempo. Ésa es mi especialidad.

Y son esos mismos clientes quienes me ayudaron a crear y poner a prueba el programa *8 Minutos por la Mañana para un Vientre Plano*. Verás, después del éxito de mi libro superventas (en la lista del *New York Times*) *8 Minutos por la Mañana* y mi reciente *8 Minutes in the Morning for Real Shapes, Real Sizes**, más de un mi-

* *8 Minutos por la Mañana* (2.ª edición), publicado en español por esta misma editorial; el segundo libro, lit. *8 Minutos por la Mañana para Tipos y Tallas Reales*, es una obra aún no traducida al español. *(N. del E.)*

robert sutherlin jr. ¡redujo más de 10 cm de cintura!

"El programa de Jorge es muy fácil de hacer y se concentra rotundamente en la zona del vientre. Cuando me concentro en mantener los músculos tensos durante el ejercicio, es fácil conseguir enseguida la ardiente sensación de estar quemando grasa, ¡que, para mí, significa que estoy haciéndolos correctamente!

"Para mantener bajo control lo que como, hablo mucho conmigo mismo. En los momentos en que simplemente me habría dirigido al frigorífico cuando me sentía bajo de moral, aburrido o solo, ahora me pregunto a mí mismo si realmente quiero lo que esté planeando comer. Me pillo revisando el frigorífico y me digo: '¿Por qué estás comiendo? No tienes hambre, así que ponte a hacer algo o acuéstate'. A menudo me basta con cerrar la puerta del frigorífico y apartarme de él."

Robert perdió 8,6 kilos de grasa abdominal.

llón de nuevos clientes se registraron en *JorgeCruise.com* y compartieron conmigo cómo habían perdido peso con mis dos primeros programas. Me contaron historias sobre cómo mi primera obra, *8 Minutos por la Mañana*, les había ayudado a perder entre 7 y 9 kilos o cómo habían adelgazado unos contundentes 13 kilos o más con mi segundo libro, *8 Minutes in the Morning for Real Shapes, Real Sizes*.

Pero muchos de ellos querían más. Me pedían que les ayudara a concentrarse en zonas especialmente problemáticas. Y una de las zonas más solicitadas era *el vientre*.

Bien, sabía lo que tenía que hacer. Diseñé un programa de 8

minutos centrado específicamente en el vientre y lo puse a prueba con mis ciberclientes una y otra vez hasta tener la plena confianza de que permitiría a *todas las personas* perder grasa abdominal en sólo 8 minutos al día. Este programa se agrega al éxito de mis otros dos libros. Adopta la fórmula para perder peso que he puesto a prueba una y otra vez con millones de clientes y la aplica específicamente al área del vientre. Me alegra poder decirte que cualquier persona puede utilizar este programa suplementario para embellecer el vientre: ¡en sólo 8 minutos al día!

No importa si has adelgazado con uno de mis otros libros o si ésta es tu primera experiencia con

un programa de Jorge Cruise®. En cualquiera de los dos casos, experimentarás fantásticos resultados. Si no has leído mis otros libros, no pasa nada. Todo lo que necesitas para perder peso y afirmar tu vientre está aquí mismo dentro de las páginas de este libro.

el vergonzoso secretillo de la grasa abdominal

Antes de que emprendas mi emocionante programa *8 Minutos por la Mañana para un Vientre Plano*, echemos una ojeada a por qué quieres llegar a tener un vientre maravilloso. Muchas personas quieren tonificar su vientre por razones estéticas. No pasa día en que una de mis clientas no me pregunte cómo puede tener mejor aspecto en bañador. Algunas me cuentan lo desesperadamente que quieren poder abrocharse la cremallera de un par de vaqueros en particular. ¡O que lo único que quieren es poder mirar hacia abajo y no ver un bulto prominente!

Todas ellas son buenas razones. Pero hay unos cuantos motivos cruciales e incluso más importantes para empezar mi programa *8 Minutos por la Mañana para un Vientre Plano*.

He aquí lo realmente malo de la grasa abdominal. La grasa del vientre es peor para tu salud que la de las nalgas o la de los muslos. Sí, la grasa del abdomen tiende a provocar que el hígado libere los ácidos grasos que tiene almacenados, elevando tus niveles de colesterol. También tiende a alterar los niveles de hormonas clave implicadas en el apetito, el depósito graso y las cardiopatías. De hecho, cuando aumentas de peso en tu abdomen y estas hormonas se alteran, tiendes a sentir más hambre, comes más y tu cuerpo tiende a acumular más grasa en tu abdomen. Es un círculo vicioso; ¡pero *puedes* romperlo!

Antes de que hablemos de cómo romper tu ciclo de grasa abdominal, echemos una ojeada a todas las formas en que mina tu salud.

Diabetes. Las investigaciones demuestran que las mujeres con una circunferencia de cintura superior a 90 cm son cinco veces más propensas a desarrollar diabetes que aquellas con menores perímetros. Cuando aumentas de peso en tu abdomen, la grasa trastorna el ciclo de la insulina. Esta importante hormona, producida por el páncreas, facilita que el azúcar sanguíneo penetre en las células musculares, para que, al quemarlo, produzcan energía. Sin embargo, en las personas que tienen mucha grasa abdominal, la insulina deja de funcionar adecuadamente. Las células musculares dejan de responder a la insulina y el azúcar en sangre se mantiene elevado. Esto hace que el páncreas libere cada vez más insulina, lo cual puede con el tiempo desgastar el páncreas y producir una diabetes. Al mismo tiempo, los altos niveles de insulina provocan que comas, al hacerte sentir hambre. También estimulan al hígado a convertir en grasa el azúcar en sangre: ¡para almacenarla! Los altos niveles de insulina también se han relacionado con ciertos cánceres.

Cardiopatías. En el célebre *Nurse's Health Study* ("Estudio sobre la Salud de las Enfermeras") llevado a cabo en la Universidad de Harvard sobre 4.470 mujeres, aquellas con una circunferencia de cintura superior a los 80 cm eran dos veces más propensas a sufrir un infarto que las que tenían cinturas más reducidas. Al igual que la grasa abdominal provoca diabetes, también eleva los niveles de colesterol en sangre, contribuyendo a las cardiopatías. A medida que tu hígado convierte en grasa cada vez más azúcar, tus niveles de colesterol aumentan, pues esta grasa tiene que recorrer el torrente sanguíneo para llegar a las células grasas que la esperan... ¡normalmente en el vientre! En particular, se elevan los niveles del insano colesterol LDL y de triglicéridos, mientras que el colesterol bueno, HDL, baja en picado. La grasa del

"Las mujeres con una circunferencia de cintura superior a 90 centímetros son cinco veces más propensas a desarrollar diabetes"

vientre eleva en un 50 por ciento tu riesgo de colesterol alto en sangre.

Cáncer de mama. Cuanta más grasa corporal tengas (especialmente en el abdomen) más altos son tus niveles de estrógenos. La grasa corporal produce sus propios estrógenos, además de los estrógenos producidos por tus ovarios. Normalmente, esto no causa problemas. Pero cuando tienes una gran cantidad de grasa corporal, te arriesgas a elevar demasiado los niveles de estrógenos, incrementando tu riesgo de cáncer de mama. Asimismo, como ya he mencionado, la grasa del vientre tiende a elevar los niveles de insulina, algo que también se ha asociado con el cáncer de mama. Las mujeres con altos niveles de grasa en el vientre son un 45 por ciento más propensas a padecer cáncer de mama. La grasa abdominal también eleva tu riesgo de cáncer de endometrio.

Hipertensión arterial. El exceso de grasa abdominal incrementa en un 60 por ciento tu riesgo de padecer hipertensión arterial (tensión alta). De hecho, cada medio kilo de grasa extra puede elevar en 4,5 puntos la presión sanguínea sistólica (máxima). Esto ocurre porque tu corazón tiene que trabajar más para bombear sangre en un cuerpo de mayor tamaño. Es lo mismo que si añadieras muchas habitaciones a una casa, pero mantuvieras la misma caldera. La caldera tendría que trabajar a toda máquina para calentar la casa de mayores dimensiones. En este caso, tu corazón late más rápido y con mayor energía, lo cual impulsa a la sangre a través de tus arterias con mayor presión, provocando pequeñas lesiones en el tejido que recubre el interior de tus arterias, lo cual incrementa tu riesgo de cardiopatía.

Dolor de espalda. La grasa de tu vientre actúa como un gran peso que tira hacia delante del tramo inferior de tu columna, arqueando demasiado la parte baja de la espalda y provocando dolor. Cuando pierdes grasa y fortaleces tu abdomen, los músculos del vientre pueden sostener mejor la columna, mejorando tu postura y reduciendo el dolor de espalda.

Fatiga. Al igual que tu corazón no puede crecer más para responder a las demandas de un cuerpo de mayores dimensiones, lo mismo les sucede a tus pulmones. Tienen que trabajar más para suministrar mayor cantidad de oxígeno. Asimismo, a medida que aumenta el tamaño de tu vientre, también desplaza tus órganos internos, sobre todo el músculo diafragma, que es tan importante en la respiración. Las personas con mucha grasa abdominal tienden a toser y jadear más. Ésta también aumenta el riesgo de apnea del sueño, una forma grave de cese intermitente del flujo respiratorio por el colapso de las vías aéreas superiores, privando al organismo del oxígeno que necesita.

Varices. El exceso de peso corporal dificulta el desplazamiento de la sangre de tus piernas en contra de la fuerza de la gravedad para volver al corazón. La grasa abdominal también supone un lastre en las venas de la parte superior de los muslos. Ambos problemas provocan que se debiliten las venas. Con el tiempo, empiezan a presentar pérdidas e incluso dejan que la sangre se remanse y se desplace hacia atrás (circulación retrógrada), provocando la aparición de varices.

Dolor en las articulaciones. Cuanto más pesa el cuerpo, mayor lastre supone para tus articulaciones y mayor impacto ejerce sobre éstas con cada paso.

Además, la grasa del vientre se ha asociado a dolor crónico, enfermedades de la vesícula, artritis, inmunidad baja, enfermedades hepáticas, problemas dermatológicos e insomnio. ¡Es hora de poner fin, de una vez por todas, a este ciclo que menoscaba tu salud!

los beneficios de un vientre firme

Perder peso en tu cintura te ayudará a prevenir todas esas enfermedades y afecciones. ¡Vivirás más tiempo y te sentirás mejor!

Harán aún más mis especiales Ejercicios Cruise (aprenderás más sobre ellos en el capítulo 3). Te ayudarán a fortalecer los músculos de tu abdomen, lo que te proporcionará diversos beneficios emocionantes.

Fundamentos de un Vientre Precioso

He aquí algunas de las preguntas y comentarios más frecuentes que he recibido sobre su vientre de mis ciberclientes.

He estado haciendo 100 abdominales al día durante el mes pasado y mi vientre sigue tan enorme como siempre. ¿Qué es lo que me pasa?

Es posible que no estés haciendo los ejercicios más eficaces para tu vientre. Para endurecer el vientre, tienes que priorizar y aislar en él **cuatro zonas importantes.** Lo cual significa que has de realizar cuatro ejercicios *distintos*. Puedes experimentar resultados mejores y más rápidos haciendo menos repeticiones de cuatro ejercicios distintos que invirtiendo más tiempo con tan sólo un ejercicio. Por eso cada una de mis series para el vientre incluye cuatro Ejercicios Cruise *distintos*.

Estoy convencido de que mi metabolismo está muerto. ¿Hay algo que pueda ayudarme a adelgazar?

Es posible que tu metabolismo sea realmente más lento de lo normal, sobre todo si has estado haciendo un régimen tras otro. (Descubrirás por qué las dietas son malas en el capítulo 4.) Pero puedes dar a tu metabolismo un rápido impulso generando músculo magro. Cada medio kilo de músculo magro quema 50 calorías al día (y eso sólo para mantenerse). Aprenderás más sobre este tema en el capítulo 3.

He comenzado un programa de carrera, pero mi vientre sigue igual de grande. ¿Qué me está pasando?

Correr es en realidad contraproducente para generar un vientre precioso. Correr quema muchas calorías, pero tiende a anteriorizar la pelvis (adelantarla), arqueando mucho la parte baja de la espalda. Observa a corredores, sobre todo aquellos que no hacen nada de fortalecimiento abdominal. ¡Lo más probable es que tengan también el vientre prominente! Cuando la parte baja de la columna vertebral se arquea demasiado, la pelvis se inclina hacia delante y el vientre sobresale.

No tienes que dejar de correr (sobre todo si te encanta hacerlo), pero has de combinarlo con mi programa de Ejercicios Cruise para presenciar verdaderos resultados.

He perdido todo el peso que quería, pero mi bajo vientre todavía parece prominente. ¿Qué puedo hacer?

Ahí es donde entra en juego mi programa. La pérdida de peso por sí sola no tonifica ni embellece los músculos abdominales. Necesitas ejercicios específicos que se concentren en las zonas correctas del vientre. ¡Eso es lo que harán mis Ejercicios Cruise!

¿Los habituales abdominales son los ejercicios más importantes para el vientre?

No. El tradicional *crunch* de abdominales te permite hacer trampa de muchas maneras. Además, sólo trabaja una parte del abdomen. He descubierto que la mayoría de la gente *detesta* absolutamente hacer abdominales. Si detestas hacerlos y no te funcionan eficazmente, pues no los hagas. **Ninguno de mis Ejercicios Cruise incluye *crunches* de abdominales.**

Nunca tendré tonificado el vientre; así pues, ¿qué sentido tiene?

Eso no es cierto. He tenido clientes que pensaban lo mismo, ¡y ahora tienen un magnífico aspecto! Cree en ti mismo y atente al programa, ¡y pronto estarás luciendo un vientre precioso!

No quiero que mi vientre parezca muy musculoso, como el de un hombre. ¿Qué puedo hacer?

Las mujeres no tienen las hormonas que se requieren para generar músculos grandes, hipertrofiados. Si eres mujer, mis Ejercicios Cruise te darán la apariencia suave y tonificada que buscas.

El más importante de todos es que unos músculos abdominales más fuertes servirán de ayuda para mejorar tu postura. Unos músculos abdominales fuertes ayudan a sostener tu columna vertebral, colaborando en mantenerla erguida y elongada. También ayudan a mantener tu pelvis en la posición correcta, previniendo la lordosis lumbar que con tanta frecuencia se ve después del embarazo y al envejecer. Una vez que se elimina esa lordosis, el resto de la columna tiende a quedar alineada, permitiéndote atrasar los hombros y la cabeza, y permanecer en pie más alto y más erguido.

De hecho, aunque no pierdas nada de peso, tu aspecto mejorará espectacularmente. Unos músculos abdominales más fuertes te ayudarán a parecer más alto, dando lugar a una apariencia más esbelta. Te sentirás como si en el proceso hubieras crecido dos o tres centímetros y perdido dos o tres centímetros de cintura... ¡y eso sólo con que mejore tu postura!

A su vez, una mejor postura ayuda a respirar más profundamente. Tus músculos abdominales te ayudan a inspirar y espirar, permitiéndote realizar respiraciones más completas y profundas.

Tus músculos abdominales fueron diseñados para la resistencia. Fueron hechos para trabajar 24 horas al día sin fatigarse. El resto de los músculos de tu cuerpo no fueron diseñados de ese modo. Cuando tus músculos abdominales sostienen tu columna vertebral, otros músculos no tienen que trabajar a toda máquina para mantenerte erguido. Descubrirás que a medida que fortaleces tus músculos abdominales y mejoras tu postura, desaparecen los dolores de cabeza, cuello y hombros.

Tus músculos abdominales son tu centro de energía. Cuando más fuertes sean, más fuerte eres tú. Descubrirás que, fortaleciendo tus abdominales, dispones de energía para hacer más cosas. Si practicas deportes, tus movimientos serán más potentes. Serás capaz de sentarte a trabajar durante períodos más largos de tiempo sin sentirte cansado. Unos músculos abdominales fuertes te ayudan a levantar pesos, elevarte, flexionarte, girar, mantener el equilibrio y coordinar todos tus movimientos.

De hecho, ¡tus músculos abdominales te ayudan a hacer prácticamente todo!

por qué 8 minutos por la mañana para un vientre plano es la respuesta que buscas

¡Te encantará *8 Minutos por la Mañana para un Vientre Plano*! Si sigues el programa puedes esperar ver resultados apreciables en 4 semanas.

8 Minutos por la Mañana para un Vientre Plano simplifica y facilita la consecución de tu meta. Y eso es importante. Es posible que seas capaz de embellecer tu vientre haciendo ejercicio durante 60 minutos o más al día. Pero ¿podrás mantener después ese ritmo? Para mantener tu vientre tonificado, tienes que seguir con el esfuerzo, algo que sólo puedes hacer si tu programa es sencillo, eficaz y práctico. ¡Ésa es la clave de los programas Jorge Cruise®! Podrás generar un vientre precioso y mantenerlo así porque por fin te has embarcado en un programa sostenible. ¡Así de sencillo!

¿Estás motivado para empezar a tonificar y a endurecer tu vientre? *Prepárate para dejar de hacer aeróbic y bájate de la montaña rusa de las dietas.* El desafío que ahora te lanzo es que te comprometas a generar una preciosa musculatura magra. Haciéndolo, reestructurarás tu cuerpo y esculpirás un espléndido y precioso vientre en tan sólo 8 minutos al día. **Tus amigos y amigas te felicitarán por tu aspecto y podrás llevar con confianza bañadores y tops enseñando la tripa.**

Capítulo 2

La Revolución de Jorge Cruise®

Descubre el poder que para quemar grasa tiene generar músculo magro

el programa más de cerca

Como ya te he dicho en el capítulo 1, el principal secreto para perder grasa abdominal es generar tejido muscular magro. El músculo magro es lo que necesitas para estimular tu metabolismo y quemar la grasa.

Todos los aspectos de mi programa *8 Minutos por la Mañana para un Vientre Plano* se concentran en ese importante principio de la pérdida de peso. Si te comprometes a generar músculo magro conmigo con la ayuda de este libro, endurecerás tu vientre, perderás hasta 15 centímetros en menos de 4 semanas, y de verdad sentirás cómo se dispara la confianza en ti mismo.

Te explicaré muy pronto más cosas sobre cómo funciona el programa, pero antes, echemos una ojeada a por qué tiendes a acumular grasa en tu vientre.

la ciencia de dar forma al cuerpo

Con demasiada frecuencia oigo a mis clientes hacerse reproches por su propia silueta. Califican su cuerpo con adjetivos horribles y se hacen reproches por su falta de voluntad. A menudo les digo (como te lo estoy diciendo ahora a ti) que librarse de esa grasa en el vientre *no* tiene nada que ver con la fuerza de voluntad. De hecho, si empleas sólo fuerza de voluntad para intentar ir reduciendo esa grasa, casi siempre lucharás por una causa perdida.

Déjame que te lo explique. Para comprender por qué la fuerza de voluntad, por sí sola, no te ayudará a embellecer tu vientre, tienes que entender antes por qué tiendes a acumular grasa en el abdomen. Hay muchas razones, pero encabezando la lista se halla tu *genética* única. Todo el mundo tiene una ingente cantidad de células grasas en ciertas zonas del cuerpo predecibles: la cara posterior de los brazos (entre el codo y el hombro), el vientre, los muslos, los senos (en las mujeres) y las nalgas. En algunas personas, las células grasas de ciertas zonas son más activas que otras, dando lugar a cuerpos de formas distintas.

Desde el punto de vista genético, hay dos tipos corporales predominantes. Algunos tienden a acumular grasa en la parte inferior del cuerpo, dando lugar a lo que se conoce como forma de pera. Y otros tienden a acumular grasa en su abdomen, dando lugar a lo que se conoce como forma de manzana. Si genéticamente eres una manzana, tu cuerpo preferirá almacenar grasa en tu abdomen. Siempre que comas demasiado, ¡las calorías extras irán directamente a tu vientre!

No puedes cambiar tu genética, pero sí la forma de tu cuerpo. ¡Pronto aprenderás cómo!

He aquí algunos otros factores que pueden influir en si tu vientre está clasificado como el número uno de tus lugares problemáticos.

Embarazo. Cuando estás embarazada, el bebé en crecimiento estira tus músculos abdominales, debilitándolos y moldeándolos en una posición redondeada hacia el exterior. Si tu abdomen ya estaba débil al quedarte embarazada, tu creciente vientre sobresaldrá antes (ya a los cuatro meses) que el de alguien que tuviera fuertes los músculos abdominales al quedarse embarazada. Unos fuertes músculos abdominales ayudan a sostener mejor en posición al bebé, previniendo que sobresalga tan rápidamente.

Sin embargo, después de los 9 meses de embarazo y del posterior alumbramiento, prácticamente todas las mujeres (estén en la forma que estén antes del embarazo) se quedan con los músculos abdominales débiles y distendidos. Si te han realizado una cesárea, tu fuerza abdominal es casi nula, debido a que en la intervención se seccionan los músculos, y, por tanto, quedan debilitados. Cuando los músculos abdominales son débiles, no pueden realizar igual de bien su función de mantener en posición los órganos internos. Una acaba con un vientre prominente, aunque no se tenga demasiada grasa abdominal. Pero se puede hacer algo al respecto, por muchos niños que se hayan tenido.

Menopausia. Generalmente, las hormonas femeninas llamadas estrógenos tienden a estimular el depósito graso en las nalgas, senos y muslos, lo cual se debe a que el organismo puede acceder más fácilmente a la grasa de esas zonas a fin de alimentar al feto en crecimiento y generar leche para la lactancia. No obstante, después de la menopausia, los niveles de estrógenos se reducen, y el depósito graso empieza a cambiar. Muchas mujeres notan que comienzan a acumular grasa en el vientre después de la menopausia. De nuevo, ¡es posible hacer algo al respecto!

Sexo. Debido a los diferentes niveles de hormonas sexuales, los

¿Eres una pera o una manzana?

¿Dónde llevas la carga? Si llevas tu peso alrededor de los brazos, piernas y muslos, tienes silueta de pera. Si tu grasa se halla en la zona abdominal, tienes lo que se conoce como forma de manzana, algo que podría constituir un riesgo para tu salud, dado que la grasa abdominal induce al hígado a liberar los ácidos grasos que tiene acumulados, lo cual eleva tus niveles de colesterol. También cambia los niveles de hormonas que regulan el apetito y el depósito graso, ¡de manera que sientes hambre, comes más, y acumulas más grasa en torno a tu vientre!

La Manzana

Además, los estudios han demostrado que las mujeres que tienen mayores circunferencias de cintura (superiores a 90 cm) son más propensas a desarrollar diabetes. Las mujeres cuyas cinturas medían más de 80 cm eran dos veces más propensas a sufrir un infarto. Sus probabilidades de cáncer de mama, hipertensión arterial y dolores de espalda y articulares, varices y fatiga general son también mucho mayores.

¡Pero tú puedes prevenir todo eso mediante el entrenamiento de la fuerza con mis especiales Ejercicios Cruise, que han sido diseñados para generar tejido muscular magro y quemar esa grasa abdominal!

La Pera

hombres tienden a acumular grasa en el abdomen, mientras que en las mujeres se acumula en las nalgas y las piernas. Esto no es aplicable a todas las personas en todos los momentos de su vida. La genética y la menopausia pueden contrarrestar esta tendencia. Así, si eres una mujer de 30 años con una silueta de manzana, eso no significa que te ocurra nada malo. Sólo quiere decir que tu genética está anulando tus hormonas sexuales, y dirigiendo los depósitos grasos a tu vientre.

Síndrome metabólico. Hace mucho tiempo, cuando los hombres y las mujeres sobrevivían cazando y recolectando, algunas personas desarrollaron la tendencia a acumular grasa con gran facilidad y a quemarla muy lentamente. Esta propensión, conocida como dotación de genes "ahorrativos" o "económicos", permitió a nuestros antiguos antepasados sobrevivir a largas hambrunas. Las mujeres con dotación genética "ahorrativa" eran capaces de quedarse embarazadas y amamantar aunque escaseasen los alimentos.

Hoy día, probablemente más de la mitad de la población lleva uno o más de estos genes ahorrativos. Y aunque estos genes puedan haber permitido prosperar a nuestros antiguos antepasados, a nosotros ya no nos sirven adecuadamente. Nuestro estilo de vida sedentario, unido a la abundancia de alimentos, facilita que aumenten de peso quienes poseen esta dotación genética ahorrativa. Además, los investigadores creen que esta dotación genética

tiene propensión a dirigir el depósito graso al abdomen, lo cual desencadena ese círculo vicioso.

Si posees los genes ahorrativos, tus niveles de insulina tienden a elevarse demasiado cuando comes ciertos alimentos. Tu páncreas segrega la hormona insulina para colaborar en el transporte de azúcar a las células. Sin embargo, el exceso de esta hormona puede resultar nefasto. A pesar del hecho de que acabes de comer y de que no necesites más calorías, es posible que los altos niveles de insulina te hagan sentir hambre (lo que te hace comer más), además de provocar que las enzimas del hígado indiquen a tu organismo que acumule grasa. La insulina tiende a desencadenar el depósito graso sobre todo en el abdomen. Nuevamente, aunque estos genes puedan dificultarte el embellecimiento de tu vientre más que a alguien que no los posea, no lo imposibilita. ¡Mi programa te servirá de ayuda!

Estrés. Cuando te sientes estresado, desencadenas tu respuesta defensiva (combatir o huir), la cual provoca la liberación de muchas hormonas del estrés, en especial cortisol. Estas hormonas se ponen en funcionamiento para ayudarte a enfrentarte mejor con el elemento que te esté estresando. Aceleran la frecuencia cardíaca, dilatan los vasos sanguíneos y retiran la sangre de tu tracto digestivo, transportándola hasta tus músculos.

Pero esto también puede funcionar en tu contra. Esa respuesta defensiva también le dice a tu hí-

"Cuando entiendas por qué acumulas grasa, también comprenderás cómo acelerar el proceso para quemarla."

gado que transforme el combustible haciéndolo apto para ser quemado. La idea es que necesitarás energía para salir corriendo o para luchar, de manera que tu hígado convierte en azúcar el glucógeno que tiene almacenado. Tú no usas este azúcar, porque en realidad ni combates ni huyes, pero eso tu hígado no lo sabe. Así que provoca que el cerebro te haga sentir hambre. ¡Las calorías que ingieres van directamente a las células grasas de tu barriga! Si vas provocando de manera crónica tu respuesta defensiva, tu cuerpo empezará a intentar almacenar toda la grasa que pueda, creando una reserva de calorías para ayudarte a huir o combatir.

El estilo de vida occidental. Hace tan sólo 100 años, los occidentales hacíamos ejercicio como parte de nuestra forma de vida. Nuestros empleos requerían trabajo manual y teníamos que ir caminando a la mayor parte de los sitios. Hoy, sin embargo, podemos realizar prácticamente todas las tareas mientras seguimos sentados. Pedimos comida por teléfono, compramos *online* y acudimos en coche a casi todos nuestros compromisos. Por consiguiente, nuestros músculos abdominales prácticamente casi nunca entran en acción. A medida que se debilitan, dejan de realizar su papel de sostén de los órganos abdominales. Nuestros órganos internos empiezan a sobresalir. A medida que tu vientre crece, tira hacia delante de tu columna vertebral, lo cual acentúa la prominencia de tu vientre. ¡Pero puedes hacer algo al respecto!

cómo la falta de músculo acelera el aumento de grasa

Ahora que comprendes los factores que influyen en dónde tiendes a acumular grasa, echemos una ojeada a la razón más importante por la que la grasa tiene propensión a acumularse *en cualquier parte* del cuerpo.

Es aquí donde las cosas se ponen emocionantes. Cuando entiendas por qué acumulas grasa, también comprenderás cómo acelerar el proceso para quemarla. ¡Esto te liberará!

Acabo de contarte cómo el estilo de vida occidental contribuye al tipo corporal de manzana. Echemos ahora una ojeada a cómo se relaciona con el depósito graso. Tus músculos necesitan actividad no sólo para crecer, sino también para mantener su tamaño. Debido a nuestra vida sedentaria, muchos de nosotros perdemos un mínimo de 2,5 kilos de masa muscular durante cada década de vida, ya desde los 15 años de edad. Esto es algo desastroso para tu metabolismo en reposo.

Te lo explicaré. Desde el punto de vista metabólico, tus músculos son tejidos activos que trabajan denodadamente 24 horas al día para mantenerse. Probablemente creas que tus músculos queman calorías siempre que los usas (por ejemplo, al caminar o al trabajar en el jardín). Pero tus músculos también queman calorías cuando *no* se están moviendo, mientras descomponen y vuelven a generar proteínas. Por eso tu masa muscular magra es tan importante para que tengas éxito al adelgazar. Cada medio kilo de músculo de tu cuerpo quema 50 calorías al día, en estado de reposo.

Si pierdes 2,5 kilos de músculo cada década, a los 50 años de edad

eso significa que el metabolismo puede estar quemando 875 calorías menos al día. ¡Cada medio kilo de músculo perdido ralentiza tu metabolismo en 50 calorías al día!

Tienes que invertir esta tendencia con Ejercicios Cruise, mis exclusivos ejercicios para entrenamiento de resistencia que ayudan a generar músculo largo, magro, flexible. En mi programa, puedes esperar añadir 2,5 kilos o más de músculo, ¡que te ayudará a quemar más de 250 calorías extras al día!

Muchas personas me dicen: "Pero, Jorge, quiero perder peso, no ganarlo. ¿Para qué quiero añadir 2,5 kilos de músculo?". He

"Considera el tejido muscular magro como la piedra granítica de tu organismo."

aquí otro emocionante beneficio del tejido muscular magro. El músculo magro es muy denso y compacto, a diferencia del tejido graso, que es blando y voluminoso. Considera el tejido muscular magro como la piedra granítica de tu organismo y la grasa como el algodón. Medio kilo de piedra ocupa mucho menos espacio que medio kilo de algodón, ¿verdad? Así que, aunque tengas un intercambio equivalente de medio kilo de músculo por medio kilo de grasa (y no hayas perdido nada de peso en la báscula), tendrás un aspecto más delgado. Sin embargo, en el programa *8 Minutos por la Mañana para un Vientre Plano* los resultados serán mejores que un mero intercambio equivalente. Cada medio kilo de músculo magro quemará más de medio kilo de grasa, permitiéndote perder, de media, casi un kilo a la semana.

las ventajas de tus "8 minutos"

El programa *8 Minutos por la Mañana para un Vientre Plano* te ayudará a quemar grasa a base de generar músculo magro, algo que harás en dos pasos:

Paso 1:
8 Minutos
de Ejercicios Cruise

Paso 2:
Comer nutritivamente,
no emocionalmente

dos falsos mitos

Existe un mito muy extendido sobre el entrenamiento de resistencia que tiende a provocar que algunas mujeres lo rehúyan. ¡Y simplemente no es cierto! Muchas mujeres me cuentan que están preocupadas de que ese entrenamiento de resistencia hipertrofie su musculatura, configurándola de manera similar a la de un hombre. ¡No es cierto! En primer lugar, las mujeres carecen de las hormonas necesarias para constituir esa clase de músculo. En segundo, la específica naturaleza de mis Ejercicios Cruise te ayudará a generar músculos largos, magros, estilizados, *sexys*. El tejido muscular que estarás generando *no* será voluminoso, sino más bien magro, largo y duro. ¡Tendrá un aspecto precioso y, lo mejor de todo, *quemará grasa abdominal*!

He aquí otro mito que a menudo escucho. Muchas personas me preguntan: "Jorge, ¿por qué tengo que tonificar los músculos de mis brazos y mis piernas cuando mi zona problemática es el vientre?". Me cuentan que han oído decir que es mejor quemar grasa abdominal a base de trabajar *sólo* sus músculos del vientre y no el resto de su cuerpo. Por ejemplo, hacen media hora de abdominales al día... y nada más. Pues bien, puedo deciros que esa tonificación concentrada en un solo punto es un gran mito. La quema de grasa simplemente no ocurre de ese modo.

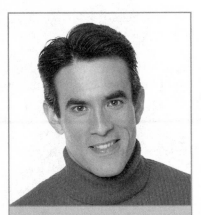

"Recuerda que, para quemar grasa, necesitas músculo magro."

¿Te acuerdas de ese músculo magro que he mencionado? Pues bien, tienes que generar músculo magro en todo tu cuerpo para presenciar verdaderos resultados. Si te concentras exclusivamente en ejercicios abdominales, no incrementarás suficientemente tu metabolismo para quemar tu grasa abdominal. Sólo cuando fortalezcas todo tu cuerpo elevarás lo bastante tu metabolismo para quemar la capa de grasa que está ocultando tus preciosos músculos abdominales. ¡Tienes que quemar esa grasa para permitir que tus músculos abdominales salgan a la superficie!

De hecho, en un estudio realizado en la Universidad de Alabama, quienes completaron un programa de fortalecimiento integral, de todo el cuerpo (como el programa que harás en el capítulo 5), perdieron mucha más grasa abdominal que quienes sólo hicieron ejercicios abdominales. Otras investigaciones demuestran que, con tan sólo unos cuantos meses de entrenamiento de resistencia, se puede experimentar un sorprendente incremento del 7 por ciento en la tasa metabólica. ¡Lo cual significa que quemarás cientos de calorías extras al día!

Por eso en mi programa te concentrarás en tu abdomen 3 días a la semana, en el tren superior del cuerpo 1 día a la semana, y en el tren inferior 1 día a la semana. ¡Trabajar los músculos de todo tu cuerpo te servirá de ayuda para generar la musculatura necesaria para quemar la grasa! Además de acelerar tu metabolismo, mi método integral también ayudará a crear una fuerza equilibrada y una apariencia más proporcionada. A menudo, cuando te concentras tan sólo en fortalecer un solo grupo muscular, creas desequilibrios de fuerza que pueden provocar lesiones. Hay que fortalecer todo el cuerpo, para mantenerse la forma física y la salud... y la belleza.

un método en dos pasos

Así pues, recuerda que, para quemar grasa, necesitas músculo magro. El *músculo* es lo que gobierna tu metabolismo.

El programa *8 Minutos por la Mañana para un Vientre Plano* te ayudará a generar en dos pasos críticos ese tejido muscular magro tan importante. El programa funciona de forma muy parecida al proceso de construcción de una casa. Para construir una casa necesitarías contratar a alguien que hiciese el trabajo físico. Esa persona emplearía a continuación importantes materiales de construcción para edificarla. En el programa *8 Minutos por la Mañana para un Vientre Plano*, los Ejercicios Cruise proporcionan el trabajo físico necesario para generar músculo magro. Igual que ponerse de acuerdo con un contratista de obras es el primer paso para construir una casa, comprometerte a realizar tus Ejercicios Cruise es tu primer paso para moldear un vientre precioso.

Tu plan de alimentación (el Plato Combinado Cruise®) proporcionará a tu cuerpo los materiales de "construcción" que necesita para permitir crecer a tus músculos. Igual que adquirir el cemento, el hormigón, los ladrillos, las baldosas, etc. sería tu segundo paso para construir una casa, embarcarte en tu plan de alimentación es el segundo paso para generar nuevo músculo magro que quemará grasa abdominal.

En los capítulos 3 y 4 aprenderás más cosas sobre este importante proceso dividido en dos pasos. Ahora mismo a lo que te desafío es a comprometerte a leer los dos capítulos siguientes sin interrupción. Estos dos capítulos son críticos para que tengas éxito, porque te mostrarán concretamente cómo generar el tejido muscular magro necesario para quemar tu grasa abdominal. Pasa la página para conocer más a fondo el primer paso del programa *8 Minutos por la Mañana para un Vientre Plano*, concentrado en los Ejercicios Cruise.

Parte 2
Cómo funciona

Capítulo 3
Paso 1

Ejercicios
en 8 Minutos®

el contratista y la obra

Te he hablado en el capítulo anterior de cómo generar un vientre duro se parece mucho a construir una casa. Te he contado que, cuando construyes tu casa, el primer paso que has de dar es ponerte de acuerdo con un contratista, la persona que se ocupará físicamente de la obra. Ahora estás preparado para llegar a un acuerdo con el contratista de tu cuerpo, la persona que realizará el trabajo físico necesario para "construir" un vientre tonificado.

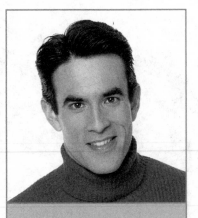

"Mi programa exige sólo 8 minutos al día para conseguir la misma cantidad de músculo magro que otros programas."

¡Ese contratista eres tú! Sí, serás tú quien inicie la obra de transformación en "8 minutos"

las ventajas de tus "8 minutos"

Los Ejercicios Cruise simplifican y facilitan el proceso para conseguir un vientre plano. Los Ejercicios Cruise te permiten:

• Hacer ejercicio sólo 8 minutos al día.

• Hacer ejercicio en la comodidad de tu propio hogar.

• Generar el músculo necesario para quemar la grasa.

• Sentirte más radiante y seguro de ti mismo.

necesaria para generar el precioso vientre que buscas. En este capítulo, aprenderás todo lo que tienes que saber sobre el trabajo físico (los Ejercicios Cruise) necesario para alcanzar tu meta. Después, en el capítulo 4, conocerás a fondo los materiales de construcción (el plan de alimentación) que emplearás para lograr el éxito.

He aquí lo realmente emocionante sobre los Ejercicios Cruise: ¡realizan el trabajo físico necesario para generar un vientre precioso mucho más fácilmente que las obras necesarias para construir una casa! Mis exclusivos ejercicios de entrenamiento de resistencia sólo exigen 8 minutos al día. Te reto a comprometerte a dar el primer paso de la revolución en el adelga-

zamiento de Jorge Cruise®. Al hacerlo, descubrirás la manera más eficaz, sencilla y fácil para perder grasa y tonificar tu vientre.

con qué nivel de concentración funcionan los ejercicios cruise

Ahora, hablemos algo más acerca de los Ejercicios Cruise, tu arma más importante para estimular el metabolismo.

Los Ejercicios Cruise son singulares ejercicios para entrenamiento de resistencia que se tardan en hacer tan sólo 8 minutos al día. Exigen un equipamiento mínimo y *¡no incluyen absolutamente ninguno de los habituales "abdominales" o crunches!* Puedes hacerlos nada más bajar de la cama aún con tu pijama favorito puesto y en la intimidad de tu propio hogar.

Otros programas de entrenamiento de resistencia te exigen ejercitar la mayoría de los principales grupos musculares del cuerpo en una sola sesión muy larga, trabajando un día sí y otro no, para dejar que los músculos se recuperen. En mi opinión, esto no es sólo una pérdida de valioso tiempo, sino que, además, tampoco es la manera más eficaz de quemar grasa. Estos programas te exigen invertir una hora o más cada día en un gimnasio, mientras que mi programa requiere sólo 8 minutos al día para conseguir la misma cantidad de generación muscular.

Sin embargo, aunque los Ejercicios Cruise puedan generar la misma cantidad de músculo que esos otros programas, en realidad te ayudarán a quemar muchas más calorías. Verás, tu cuerpo quema calorías a un ritmo más alto durante las 12-24 horas *posteriores a* una sesión de entrenamiento de resistencia. Me gusta llamar a esto el *quemado posterior* debido a que tu tasa metabólica se dispara mientras tu cuerpo se pone a trabajar reparando y fortaleciendo tus músculos.

Mis Ejercicios Cruise permitirán a tu cuerpo generar ese músculo magro quemador de grasa que acabo de mencionar. En las páginas 64 a 177, encontrarás tres niveles, que van de muy suave a muy avanzado.

Comienza con el Nivel 1. Aténte al Nivel 1 durante 4 semanas antes de pasar al Nivel 2. A continuación realiza ese programa durante 4 semanas antes de pasar al Nivel 3. Cuatro semanas darán a tu cuerpo el tiempo que necesita para adaptarse a los Ejercicios Cruise. En 4 semanas, habrás generado suficiente músculo para permitirte abordar el siguiente nivel con facilidad. (*Nota:* el Nivel 1 es posible que lo sientas demasiado fácil para ti ya de entrada. Si no sientes que los ejercicios sean estimulantes para ti, pasa al Nivel 2 después de tan sólo 1 semana en el Nivel 1.)

Para cada nivel del programa, seguirás el mismo calendario. Tres días a la semana (los lunes, miércoles y viernes) te concentrarás en Ejercicios Cruise que se centran en tu principal lugar problemático: tu abdomen. Los martes, harás Ejercicios Cruise que se concentran en el tren superior del cuerpo (tórax, hombros y brazos). Los jueves, harás Ejercicios Cruise para el tren inferior (parte inferior de la espalda y piernas). Consulta "Tu Calendario de Ejercicios Cruise" en la pág. 46.

Ya estés concentrándote en tu abdomen, en el tren superior o en el tren inferior del cuerpo, emprenderás tu sesión de Ejercicios Cruise del mismo modo. *Cada sesión incluye cuatro ejercicios distintos.* Realizarás cada ejercicio durante 1 minuto y luego pasarás directamente al siguiente ejercicio. He emparejado estratégicamente los ejercicios para que no necesites nunca descansar entre ellos. Una vez que hayas completado los cuatro ejercicios, los repetirás todos una vez más durante 1 minuto cada uno, todo lo cual dará un total de 8 minutos.

Realizarás el Ejercicio Cruise sugerido, ya consista en mantener o en moverse con fuerza, durante 1 minuto como máximo, y luego pasarás al siguiente Ejercicio Cruise. Esto libera tu mente de tener que contar y te fuerza a fatigar completamente el músculo sobre el que estás trabajando. Es sencillo. Es práctico. Te encantará.

He descubierto, con mucho ensayo y error al poner a prueba este programa con mis clientes, que 60 segundos es la cantidad óptima de tiempo necesaria para empezar a endurecer tus músculos. Al poner a prueba este programa con un cliente tras otro, lo he encontrado ideal.

tus ejercicios cruise para el vientre

Veamos más de cerca tus Ejercicios Cruise para los lunes, miércoles y viernes. Éstos son los días en que te concentrarás específicamente en tu zona problemática: tu vientre.

Con demasiada frecuencia, la gente trata de aplanar el vientre de manera errónea. Hacen sólo un ejercicio (a menudo un *crunch* abdominal) una y otra y otra vez.

¡Ésta no es una forma eficaz de tonificar el vientre! En primer lugar, los *crunches* abdominales trabajan sólo una zona del abdomen: la parte situada a lo largo de la cara anterior del vientre, por encima del ombligo. Desgraciadamente, ¡da la casualidad de que ésta es precisamente el área del vientre que la mayoría de la gente tiene más fuerte! Así pues, los habituales "abdominales" simplemente fortalecen aún más una zona del abdomen ya fuerte, ignorando importantes puntos débiles

que son la verdadera fuente del problema.

En segundo lugar, no he conocido nunca a nadie que disfrute haciendo "abdominales". Mis clientes se me quejan una y otra vez de que los *crunches* les parecen difíciles y que les provocan *dolores en el cuello*. No creo en que sea bueno forzarse a hacer un ejercicio que no te guste. ¡Por eso ninguno de mis Ejercicios Cruise incluye *crunches*!

Como ya he dicho, para generar verdaderamente una cintura más esbelta y un vientre plano, tienes

Anatomía de un Vientre Plano

Los Ejercicios Cruise te ayudan a concentrarte en cuatro zonas críticas del vientre.

Tramo superior del recto del abdomen

Transverso del abdomen

Tramo inferior del recto del abdomen

Oblicuos

que fortalecer todo tu abdomen, lo cual significa realizar ejercicios que se concentren en las siguientes áreas:

El tramo superior del recto del abdomen. Este largo músculo forma ese torneado en seis aparentes paquetes musculares a lo largo de la cara anterior del abdomen que tanta gente busca. Aunque parezca estar constituido por cuatro o seis músculos más pequeños, en realidad es un gran músculo dividido con estriaciones de tejido conjuntivo. El recto del abdomen (tramos superior e inferior) comienza en el esternón y recorre toda la cara anterior del tronco hasta el hueso púbico. La porción superior de este músculo termina en el ombligo. Como ya he dicho, éste suele ser el músculo más fuerte del abdomen.

El tramo inferior del recto del abdomen. Aunque el recto del abdomen sea en realidad un único músculo plano, no dos, los entrenadores nos solemos referir a las zonas superior e inferior como unidades separadas, porque hay que hacer ejercicios distintos para concentrarse en ellas. El área inferior se halla en la cara anterior del vientre por debajo del ombligo. Esta área suele hallarse especialmente débil en las mujeres tras el parto.

Los oblicuos. Los oblicuos se localizan a lo largo de las caras laterales del abdomen. Parten del extremo de los huesos coxales y terminan en la caja torácica. Colaboran en la torsión y la flexión lateral del tronco. Fortalecerlos ayuda a reducir los "michelines" y a perder cintura. Unos oblicuos fuertes son la clave para poderte ceñir el cinturón un agujero menos.

El transverso del abdomen. Este músculo en forma de corsé envuelve la pelvis, justo por debajo de la caja torácica. Es el músculo que se emplea cuando se mete tripa o al toser o estornudar. Es también el músculo abdominal que más se desatiende, principalmente porque muy pocos ejercicios tradicionales trabajan esta zona. El transverso del abdomen es muy importante, porque ayuda a mantener en su sitio los órganos internos. También colabora en el sostenimiento de la parte inferior de la espalda y en la estabilización del torso durante ciertos movimientos, como levantar pesos. Un transverso del abdomen fuerte te proporciona equilibrio y coordinación en todos tus movimientos diarios, razón por la cual en las clases de *fitness* se nos dice que metamos el vientre: eso hace que contraigamos el transverso del abdomen para sostener la columna vertebral.

Pocos de nosotros usamos mucho nuestro músculo transverso. Debido a que actúa para estabilizar el tronco, sólo funciona cuando te estás moviendo. Pero la mayoría de nosotros nos mantenemos sentados durante todo el día, permitiendo que este músculo se debilite deplorablemente. Cuando se debilita, no realiza bien su trabajo de mantener en su sitio los órganos internos, dejando que sobresalga el abdomen.

los cuatro básicos

Todos los lunes, miércoles y viernes te concentrarás en las cuatro áreas del vientre con lo que me gusta llamar mis *Cuatro Básicos*. Notarás que mis Ejercicios Cruise son algo distintos que los típicos ejercicios abdominales que puedes haber visto. En muchos de mis Ejercicios Cruise, utilizarás tu peso corporal para añadir un estímulo a la estabilidad de tu sección media, trabajando no sólo el abdomen sino también todo el segmento somático central (espalda, nalgas, costados y abdomen). Ésta es la clave para estar de pie más erguido, con mayor fuerza y más esbelto. Mis Ejercicios Cruise no sólo servirán para fortalecer y embellecer tu vientre, sino que también te ayudarán a funcionar con mayor facilidad en la vida diaria.

He aquí algunos consejos que te ayudarán a sacar el mayor partido posible de tus Ejercicios Cruise:

Espira al contraer los abdominales. Espirar cuando contraes cualquier músculo (por ejemplo, durante la fase de *elevación* de un fondo o al *levantar* los brazos durante una flexión de bíceps) te ayudará a desencadenar algo de fuerza interna extra para realizar el movimiento. Espirar durante la contracción es especialmente importante para los ejercicios abdominales.

Espirar (incluso algo forzadamente) te ayudará de dos maneras. En primer lugar, te servirá para activar mejor el músculo transverso del abdomen. En segundo lugar, si inspiras en la contracción, te arriesgas a dar forma a los músculos del vientre hacia fuera, cuando sobresalgan. Es posible que aun así desarrolles unos músculos fuertes, pero tendrás músculos fuertes a los que se ha dado forma en la posición equivocada.

Procede lenta y deliberadamente. No te apresures durante los Ejercicios Cruise. Ralentiza y concentra tu atención en la calidad y *no* en la cantidad. Las investigaciones demuestran que harás intervenir más fibras musculares cuanto más lentamente te muevas, lo cual hará tus sesiones más eficientes. En segundo lugar, moverte más lentamente te ayudará a concentrarte en emplear la forma correcta y sacar el mayor partido posible de cada movimiento.

Mantener la columna vertebral neutra. En muchos de mis ejercicios sugeriré que mantengas la columna alargada y recta, lo cual te ayudará a proteger el cuello y la parte inferior de la espalda. He notado que muchas personas *creen* que su columna se halla en posición correcta, aunque no lo esté. Para descubrir la sensación que produce tener la columna vertebral neutra, ponte de pie apoyado contra una pared. Debido a la curva natural en forma de S de tu columna, el cuello y la parte inferior de la espalda no se hallarán completamente apo-yadas en la pared. Sin embargo, todo lo demás (incluidas las costillas, los hombros y la cabeza) deberían estar apoyadas contra la pared. Ésta es la alineación espinal correcta. Intenta utilizarla en la mayoría de tus ejercicios.

tu equipamiento

Si has leído cualquiera de mis otros libros, sabrás que intento incorporar el mínimo equipamiento posible en mis series de ejercicios. Quiero que seas capaz de hacer tus series dondequiera que te encuentres: en casa, en una habitación de hotel, en casa de un amigo... ¡De ese modo no tendrás excusas para saltarte la sesión!

La inmensa mayoría de mis Ejercicios Cruise no incluyen absolutamente nada de equipamiento, aparte de sillas y otros muebles habituales en la mayoría de las casas y habitaciones de hotel. Sin embargo, para algunas de las series de ejercicios, he incluido unos cuantos artículos cruciales pero económicos. Puedes encontrar este equipamiento en cualquier tienda de artículos deportivos por una inversión mínima, normalmente en torno a los 40 euros. Y puedes guardarlo fácilmente detrás de un sofá o en un armario.

Necesitarás:

• **Un balón medicinal.** Estos balones lastrados ayudarán a incre-mentar la resistencia de tus series. Empieza con un peso de 2 o 3 kilos.

• **Un balón grande de ejercicio.** Estos balones de plástico rellenos de aire (también llamados *gym balls* y balones de *fitness*) añadirán un estímulo para el equilibrio a tu serie de ejercicios, haciendo que hagas intervenir más músculos para realizar los mismos movimientos.

la energía de la mañana

Mucha gente me pregunta: "Jorge, ¿y por qué recomiendas hacer los Ejercicios Cruise por la mañana? No lo entiendo. No soy una persona madrugadora. Me gusta hacer ejercicio por la tarde o al final del día".

Bueno, creo de verdad que no existen personas que no sean madrugadoras. Lo sé en parte porque yo solía ser víctima de la misma creencia.

tu calendario de ejercicios cruise

Cada semana trabajarás los siguientes grupos musculares, en este orden:
lunes: vientre
martes: tren superior
miércoles: vientre
jueves: tren inferior
viernes: vientre
sábado: depuración del organismo
domingo: día libre

Solía quedarme despierto hasta tarde por la noche porque me decía a mí mismo que era una *persona noctámbula*. Leía, veía la TV y hablaba por teléfono hasta altas horas de la madrugada. Es lógico que siempre me sintiera cansado cuando mi despertador sonaba por la mañana. ¡Nunca había dormido lo suficiente!

Cuando traté por primera vez de hacer ejercicio por la mañana, creí que la tarea era imposible. "Quizá el ejercicio matinal les funcione a algunas personas", me dije, "pero desde luego no a mí." Pero me sucedió algo raro en el proceso. Cada vez que conseguía salir realmente de la cama y hacer ejercicio por la mañana, notaba que me sentía maravillosamente durante el resto del día. Con el paso del tiempo, fui capaz de levantarme cada vez más temprano. También sentía sueño antes por la noche y, naturalmente, empecé a acostarme más temprano. Dejé de ser un ave nocturna sin pensar en ello en realidad.

Actualmente, no estoy en pie más tarde de las 10 de la noche, y siempre me levanto antes de las 6 de la mañana.

Ahora déjame compartir contigo tres simples ideas que van a motivarte para levantarte un poco más temprano a fin de hacer tus ejercicios. Una vez que comprendas el poder que tiene hacer ejercicio por la mañana, y de hacer entrenamiento matinal de la fuerza, no volverás nunca a hacer sesiones de ejercicio por la tarde ni al final de la jornada.

Primero, y más importante para tu vientre, cuando haces ejercicio por la mañana, es más probable que te sientas bien durante el resto del día. Te sientes más fuerte, con más energía y menos estresado. Recuerda que, como ya he mencionado antes, el estrés contribuye a incrementar la grasa en el vientre. Cuando haces ejercicio por la mañana, lo más probable es que manejes los plazos límite y otros problemas *sin* desencadenar tu respuesta de combatir o huir.

Las investigaciones lo respaldan. En un estudio realizado en la Universidad de Leeds, en Inglaterra, los investigadores descubrieron que las mujeres que hacían ejercicio por la mañana informaban de menos tensión y mayores sentimientos de satisfacción durante el resto del día que aquellas que no hacían ejercicio por la mañana. Cuando realizas tus Ejercicios Cruise, envías una señal a tu glándula pituitaria para que libere endorfinas, las sustancias químicas euforizantes naturales de tu organismo. Cuantas más endorfinas tengas en tu torrente sanguíneo, mejor te sientes. Gracias al ejercicio matinal, podrás manejar mejor el estrés, te suceda lo que te suceda durante la jornada, ya sea verte envuelto en un atasco de tráfico, tratar con compañeros de trabajo molestos o atender a un hijo enfermo.

Pero eso no es todo. Hacer ejercicio por la mañana también te ayuda a perder grasa más rápidamente que haciéndolo en otros momentos del día. Nada más des-

pertar, tu metabolismo está lento porque se ha ralentizado durante el sueño. Pero cuando haces ejercicio, tu metabolismo aumenta. Realizando tus Ejercicios Cruise nada más levantarte de la cama, estimulas tu metabolismo cuando normalmente está en su punto más bajo. En resumen, quemas más calorías cuando haces ejercicio por la mañana, empleando mejor el tiempo que dedicas al ejercicio.

Por último, hacer ejercicio por la mañana te ayuda a mantener la constancia. ¿Has *planeado* alguna vez hacer ejercicio por la tarde o al final de la jornada y después has acabado saltándote esos planes porque te ha surgido algo que hacer? Eso no suele ocurrir nada más levantarse por la mañana. Sencillamente: la mañana es tu momento ideal. Es el momento más fácil de controlar. Puedes salir de la cama antes de que se despierten tu esposo o esposa, o tus hijos, hacer tus ejercicios y tener algo de tiempo de sobra para ti. Muchos de mis clientes dicen que sus Ejercicios Cruise matinales les proporcionan una especie de meditación en movimiento. Es el único momento del día que se reservan para sí.

Recuerda que en momentos posteriores de la jornada, surgirán distracciones. Tu mujer o tu marido, tus hijos, tu trabajo, o algo urgente, interrumpirán tus planes y te forzarán a suspender tus Ejercicios Cruise. Las investigaciones muestran que sólo un 25 por ciento de quienes hacen ejercicio al final del día llevan a cabo sus series regularmente, en comparación con un 75 por ciento de practicantes matinales.

El balance final es que, cuando te comprometes a hacer ejercicio por la mañana, sorteas las excusas y te quitas kilos y centímetros de cintura más rápido porque eres más constante.

He aquí algunos otros maravillosos beneficios del ejercicio matinal:

Empezar tu jornada con Ejercicios Cruise te ayuda a ponerte en un estado mental propicio para la puesta en forma. Cuando te sientas bien respecto a tus esfuerzos matinales, querrás continuar con tus buenos hábitos durante todo el día, ¡lo cual significa que realizarás mejores elecciones alimentarias casi automáticamente!

Cómo levantarte
para tus ejercicios matinales

¿Eres una persona madrugadora? Algunas personas lo son y otras no. Pero si te consideras un noctámbulo, tienes que saber que aun así puedes beneficiarte de hacer tus Ejercicios Cruise por la mañana. De hecho, ya seas madrugador o trasnochador, no es tanto cuestión de genética como de modo de pensar y estilo de vida. Lo sé, porque tiempo hubo en que detestaba levantarme por la mañana. Pero empecé a decirme que era una persona madrugadora y a acostarme más temprano. Ahora, habiendo descansado lo suficiente, ¡puedo saltar de la cama sintiéndome renovado!

He aquí algunas maneras que te ayudarán a levantarte para tus Ejercicios Cruise.

Dite: "Soy una persona madrugadora". Como ya he dicho, si crees que eres una persona madrugadora, te volverás una persona madrugadora. Nuestros pensamientos son poderosos y controlan nuestras acciones. Cambia tus pensamientos y tus acciones cambiarán en consecuencia.

Despiértate con el sol. La luz solar gobierna nuestros ciclos naturales de sueño y vigilia. Sin embargo, la iluminación artificial tiende a trastornar ese ciclo natural, permitiéndonos sentir alerta por la noche, cuando la oscuridad natural del mundo indicaría, si no, a nuestro cerebro que sintiera sueño. Las habitaciones oscurecidas artificialmente también trastornan este ciclo, haciéndonos sentir cansados por la mañana, cuando la luz solar natural nos despertaría.

No bajes las persianas cuando te acuestes por la noche. Así, tu habitación se iluminará progresivamente a medida que salga el sol, y ya estarás despierto y alerta mucho antes de que suene tu despertador.

Ve poco a poco. Tu organismo posee un reloj interno, así que, al principio, lo pasarás mal para dormirte una hora o más antes de lo que solías. Empieza adelantando la hora de acostarte sólo 15 minutos. Más adelante, cuando te hayas acostumbrado, añade otros 15, y luego otros 15, hasta que te acuestes una hora antes.

Un estudio de la Universidad de Indiana en Bloomington sugiere que las sesiones de ejercicios matinales reducen más la tensión arterial que las sesiones realizadas en otros momentos de la jornada. De hecho, quienes hacían ejercicio por la mañana experimentaron una bajada de ocho puntos en la presión sistólica (la cifra más alta) que duraba 11 horas. Su presión diastólica (la cantidad más baja) caía seis puntos hasta durante 4 horas después del ejercicio. Las personas que hacían ejercicio al final del día no mostraban reducciones significativas.

Hacer tus Ejercicios Cruise por la mañana te ayuda a generar músculo más rápidamente. Los niveles de descanso de testosterona, la principal hormona del organismo para generar músculo, son más altos por la mañana, lo cual sugiere que el potencial de generación muscular del entrenamiento de resistencia es posible que se halle en su momento álgido antes del mediodía.

el poder del descanso

Si echas una ojeada al calendario de la pág. 46, notarás que cada fin de semana libras de tus Ejercicios Cruise. Usa este tiempo para descansar, recuperarte y disfrutar de todos los nuevos cambios que están teniendo lugar en tu organismo. Los sábados, te sugiero encarecidamente que ayudes a tu cuerpo a recuperarse de tu semana de duro trabajo con un ritual de depuración (que explicaré poco más abajo). Te animo a emplear tus fines de semana recompensándote por tus esfuerzos. Sal a comprarte un nuevo vestido o traje que te permita lucir el vientre o saca tu nuevo cuerpo más fuerte a dar un paseo por el parque. Permítete relajarte en un cálido baño de burbujas. Es un momento para ti. Saboréalo.

De hecho, ¡el descanso y la relajación pueden ser uno de los secretos más importantes para generar tejido muscular magro!

He aquí por qué el descanso es tan importante. En primer lugar, tus músculos necesitan un mínimo de 48 horas de descanso entre sesiones de entrenamiento de resistencia a fin de reponerse y crecer. En realidad es durante la fase de reposo cuando tiene lugar la verdadera magia. Si no dejas que tus músculos descansen suficientemente entre las sesiones de Ejercicios Cruise, se mantendrán débiles. De hecho, ¡puedes incluso lesionarte!

Por eso mi programa te exige concentrarte en una zona distinta del cuerpo cada día de la semana. Siempre proporciono a tus músculos al menos 48 horas de descanso entre sesiones. Por eso te concentras en el abdomen sólo los lunes, miércoles y viernes. El descanso de los martes y los jueves permite a tus músculos abdominales recuperarse y fortalecerse.

Pero necesitas algo más que tan sólo tiempo de inactividad. Tam-

"Prueba a tomar un baño caliente antes de acostarte para calmarte y librarte de pensamientos estresantes o de tensión que puedan estar manteniéndote despierto."

bién necesitas conseguir un buen sueño reparador. Es durante el sueño, especialmente el profundo, la fase 4 de sueño, cuando tu cuerpo se repone y regenera. Durante la fase 4 de sueño, tu organismo segrega hormona del crecimiento, una proteína empleada para reponer músculos y tejidos lesionados. Si no pasas suficiente tiempo en la fase 4 de sueño, este importante proceso de reparación corporal no se completa plenamente.

De hecho, los investigadores sospechan que las personas que padecen síndromes de dolor crónico, como la fibromialgia, no descansan el tiempo suficiente en la fase 4 de sueño. En experimentos realizados en la década de 1970, sólo se tardó una semana de sueño ligero (en la que a las personas no se les permitía entrar en la fase 4 de sueño) antes de que aparecieran achaques y dolores musculares.

Otras investigaciones han descubierto que dormir tan sólo una hora menos de sueño puede reducir los niveles de la hormona testosterona. Aunque sea más abundante en los hombres, tanto los hombres como las mujeres tienen esta hormona, importante en el proceso de generación muscular. Cuando no tienes suficiente testosterona, ello trastorna tu ratio músculo/grasa, fomentando el depósito adiposo y dificultando el desarrollo muscular.

Asimismo, cuando no duermes suficiente, tu organismo produce en exceso la hormona del estrés cortisol, lo que no sólo te pone nervioso y de mal humor, ¡sino que también dirige el depósito graso a tu vientre e incrementa tu apetito! Además, la hormona insulina deja de funcionar adecuadamente, no acarreando plenamente azúcar a las células, lo que te hace sentir can-

sado, estimula el depósito adiposo y te hace sentir más hambre de lo normal.

Algunos estudios han relacionado la pérdida de sueño con la sobrealimentación. Las investigaciones demuestran que cuanto más tarde permanecen despiertas las personas por la noche, más probable es que coman en exceso. Y cuando tienes un antojo de un atracón a altas horas de la noche, ¿de verdad vas a coger algo saludable? Un estudio realizado en Japón descubrió que quienes dormían menos horas de sueño tendían a comer las menores cantidades de verduras.

Si duermes demasiado poco, picarás más durante el día, utilizando la comida como ayuda para mantenerte despierto. La falta de sueño también afecta a tus niveles de leptina, la hormona que reduce el apetito. Cuando los niveles de esta hormona son bajos, sentirás un antojo de dulces y féculas. Por último, un estudio realizado sobre hombres que padecían apnea del sueño (afección que provoca una detención de la respiración con despertares repetidos durante la noche) descubrió que la fatiga resultante del sueño perdido hacía a los hombres menos propensos a hacer ejercicio y provocaba que el ejercicio se sintiera más difícil.

No dormir lo suficiente puede también causar depresión y malhumor, lo cual es posible que conduzca a la sobrealimentación. También reduce tu inmunidad, lo que puede producir resfriados que

te fuercen a saltarte tus sesiones de Ejercicios Cruise. Finalmente, cuando te acuestas a tu hora, es más probable que te levantes a tu hora (con tiempo para hacer tus Ejercicios Cruise).

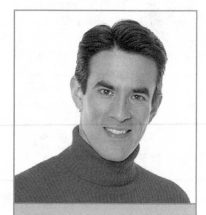

"Una hora más de sueño te ayudará a poner a cero tu reloj corporal, permitiéndote levantarte fresco y renovado, y listo para afrontar tus Ejercicios Cruise."

Las encuestas muestran que sólo aproximadamente ⅓ de la población duerme como mínimo 8 horas. Prométeme que convertirás el sueño en una prioridad. Apaga la televisión y acuéstate a una hora razonable. Tu cuerpo te lo agradecerá. Incluso tan sólo una hora más de sueño te ayudará a poner a cero tu reloj corporal, permitiéndote levantarte fresco y renovado, y listo para afrontar tus Ejercicios Cruise.

Además del descanso y el sueño, también necesitas mucha relajación. Con demasiada frecuencia, llevamos una vida muy ocupada y estresante. Este ritmo frenético puede hacer difícil ver el cuadro general de lo que es más importante: *tu salud*. Concederte un período semanal de relajación (algo de tiempo sólo para ti) puede ayudarte a dar un paso atrás para concentrarte en lo que es más importante. También puede ayudarte a reducir tus niveles de estrés. Como ya he mencionado en el capítulo 2, los altos niveles de hormonas del estrés se han relacionado con la grasa abdominal.

Te recomiendo que encuentres una forma de relajarte los fines de semana que te funcione. A algunas personas les gusta meditar, a otras dar largos paseos, y a otras reírse con los amigos. Saca el mayor partido posible de tu tiempo de relajación y no te permitas sentirte culpable. Estás trabajando mucho durante la semana. Necesitas el fin de semana para descansar ¡y prepararte para la siguiente semana de Ejercicios Cruise!

el constructor de tu mejor cuerpo

Así pues, ahora sabes cuál es el primer paso esencial para generar un vientre firme. Confío en que te comprometerás a sacar 8 minutos al día para hacer tus Ejercicios Cruise. Una vez que lo hagas, estoy seguro de que nunca volverás a otro programa para el vientre o los abdominales. Te volverás tan adicto a la facilidad y los poderosos resultados en pérdida de peso de los Ejercicios Cruise que te unirás a mis millones de clientes *online* ¡y te convertirás en *cliente de Jorge Cruise*® de por vida!

Capítulo 4
Paso 2

Come nutritivamente, *no* emocionalmente®

los materiales de construcción

Ahora que has llegado a un acuerdo con el contratista (tú mismo) para hacer el trabajo físico (los Ejercicios Cruise), a fin de generar un vientre plano, estás preparado para conocer el segundo paso hacia el éxito. Estás listo para usar los materiales de construcción (el plan de comidas) necesarios para dar forma al vientre torneado con el que sueñas.

Igual que no podrías construir una casa sin ladrillos ni cemento, no puedes generar un vientre toni-

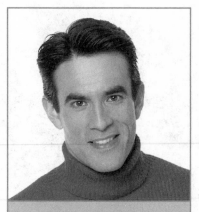

las ventajas de tus "8 minutos"

El plan de alimentación de *8 Minutos por la Mañana para un Vientre Plano* es simple y fácil. Te encantará, ¡porque no incluye alimentos prohibidos, recuentos de calorías ni dietas de hambre! Con este programa:

• Aprenderás a comer todos tus alimentos favoritos en las raciones correctas.

• Aprenderás la diferencia entre "alimentación nutritiva" y "alimentación emocional".

• Cargarás tu cuerpo con los alimentos adecuados necesarios para generar músculo y quemar grasa.

ficado sin una nutrición adecuada. El segundo paso para generar un vientre precioso es igual de importante que el primero, *así que, por favor, no intentes ahorrarte tiempo saltándotelo.* Tus materiales de construcción (el plan de comidas) te ayudarán a generar el músculo magro necesario para quemar la grasa. Más adelante en este capítulo compartiré contigo algunos sencillos consejos sobre cómo superar el autosabotaje eliminando la alimentación emocional. ¿Sabías que la **alimentación emocional** puede ser el obstáculo número uno para mantener el vientre duro y plano?

cómo comer nutritivamente

Tu plan de alimentación te ayudará a sacar el máximo partido de los

"El Plato Combinado Cruise te proporcionará la ración ideal de proteínas para generar músculos magros."

alimentos que favorecerán el desarrollo de tejido muscular magro y reducirá al mínimo los alimentos que favorecen el crecimiento de células adiposas.

EL PLATO COMBINADO CRUISE®

Verduras
(y/o ensalada o fruta)

Grasas
(1 cucharadita
de aceite de lino,
aceite de oliva,
mantequilla)

Proteínas
(pollo magro,
clara de huevo,
pescado, leche descremada
(1% de materia grasa),
carne de vacuno magra,
legumbres)

**Hidratos
de carbono**
(cereales integrales,
patatas, arroz, pan,
pasta)

No a escala real

Sigue una regla sencilla: llena la mitad de un plato estándar de unos 23 cm
con verduras y la otra mitad con porciones iguales de hidratos de carbono
y alimentos proteínicos, junto con una cucharadita de grasa. ¡Así de fácil!

¿Cuál es mi secreto de alimentación? Yo lo llamo mi *Plato Combinado Cruise*. Te ayudará a comer sencilla y casi automáticamente los alimentos adecuados en las raciones correctas. Además de ayudarte a estimular el crecimiento muscular, este plato te ayudará a quemar grasa abdominal de varias maneras. Por ejemplo, este sistema de alimentación proporciona el equilibrio correcto de hidratos de carbono, proteínas y grasas, lo cual te ayudará a normalizar el azúcar en sangre y los niveles de insulina. Los altos niveles de insulina se ha demostrado que aumentan el hambre, ¡además de fomentar la acumulación de grasa en el vientre! Asimismo, este plato te ayudará a seguir comiendo los alimentos que te encantan así como unos cuantos alimentos cruciales que ayudarán a reducir tu apetito y avivarán el horno de la quema de grasas. Por último, este plato te ayudará a sacar el máximo partido de tu consumo de alimentos ricos en fibra, que son importantes para la salud de tus intestinos. Muchas personas descuidan su salud intestinal cuando intentan endurecer su vientre. El

hecho es que, si los productos de desecho no se desplazan con suavidad a lo largo de los intestinos, pueden provocar meteorismo, ¡haciendo que tu vientre se hinche debido a los gases!

Así es como funciona el Plato Combinado Cruise. Para el desayuno, el almuerzo y la cena, pon tu comida en un plato llano estándar de unos 23 cm. Llena la mitad del plato con verduras (o fruta en el desayuno) y la otra mitad con raciones iguales de hidratos de carbono y alimentos proteínicos, junto con una cucharadita de grasa. Si te quedas con hambre, puedes tomarte otro plato de verduras. ¡Así de fácil!

Por supuesto, sé que habrá algunos de vosotros por ahí con preguntas. Es posible que os preguntéis lo alto que puede ser el montón de comida en el plato. Generalmente, no más de 2,5 a 4 cm. Para hacerse una idea concreta de las raciones correctas de proteínas, hidratos de carbono y grasas de tu plato, dedica una semana a medir tus raciones de comida, tomando nota mentalmente del espacio que ocupan ciertos alimentos en tu plato. Después de tan sólo una semana, serás capaz de ha-

cerlo a ojo, sin medir, y sabrás que estás en el camino correcto.

Después de años de recuentos de calorías, quizá no te sientas seguro usando un método de alimentación tan sencillo; por eso, en las págs. 66 a 73, he incluido unas cuantas comidas modelo de Plato Combinado Cruise para ayudarte a empezar.

Pero, ya calcules a ojo tus raciones en tu plato o uses las comidas modelo, ¡no te morirás de inanición, *no* pasarás hambre, y *no* tendrás que emplear una complicada aritmética! Usando mi sistema de alimentación Plato Combinado Cruise, nunca tendrás que volver a contar **ni una sola caloría** ni recordar confusos detalles sobre porciones y raciones. Al contrario: el Plato Combinado Cruise te mostrará cómo seguir comiendo los alimentos que te encantan en las *raciones correctas*.

Sé que parece demasiado sencillo para ser cierto; pero, como ya he dicho, el plato te ayudará a ingerir una cantidad equilibrada de proteínas, grasas e hidratos de carbono. Esto es muy importante, especialmente para generar tejido muscular magro. *Tus músculos están hechos de proteínas ¡y se reponen y reconstruyen a*

Grasas que provocan un vientre prominente

Reduce al mínimo estas grasas cuando intentes tonificar tu vientre:

- Alimentos procesados que contengan "grasas parcialmente hidrogenadas"
- Margarina
- Manteca (para cocinar)
- Frituras

- Cortes grasos de vacuno y cerdo
- Piel de pollo y pavo
- Mantequilla
- Yema de huevo

Grasas buenas para el vientre

Come más de estas grasas como ayuda para embellecer tu vientre.

- Aceite de lino y semillas de lino molidas (más información —en inglés— sobre el lino en *www.jorgecruise.com/flax*)

- Aceite de oliva extra virgen y aceitunas

- Aguacates y guacamol

- Pescados grasos de aguas frías, como el salmón

- Frutos secos, especialmente almendras

- Mantequilla de almendra

- Aceite de canola

sí mismos con las proteínas de la comida que ingieres! Además, comer algo de proteínas en todas las comidas te ayudará a reducir el hambre, pues las proteínas se tardan más en digerir que los hidratos de carbono. Y las proteínas también te ayudarán a mantener estables tus niveles de azúcar en sangre.

Sin una adecuada provisión de hidratos de carbono, no es posible incrementar el músculo magro. ¡Sí, lo has oído bien! ¿Sabías que los hidratos de carbono son responsables del aumento mediado por la insulina en el transporte de aminoácidos desde el torrente sanguíneo a tu tejido muscular, que estimula la síntesis de proteínas, impide la descomposición de las mismas y crea un equilibrio positivo de nitrógeno? En resumidas cuentas: *no* evites los hidratos de carbono si quieres evitar perder músculo magro.

Las grasas buenas de tu plato son también críticamente importantes. Con demasiada frecuencia, las personas que están intentando perder peso tratan de reducir a cero las calorías provenientes de las grasas.

Han oído decir que los lípidos contienen más calorías por gramo que los hidratos de carbono o las proteínas y que el cuerpo transporta más eficientemente la grasa hasta las células adiposas. Sin embargo, ¡esto no es del todo exacto! Sólo algunas grasas son malas para ti. Necesitas otras para generar un vientre precioso.

¿Que cuáles son las malas? Las grasas saturadas e hidrogenadas que se encuentran en productos animales y en las frituras y alimentos procesados. Éstas son las grasas que taponan tus arterias y provocan el aumento de peso. Se encuentran en productos grasos de origen animal (la leche entera, el queso, los cortes grasos de carne de vacuno y de cerdo), así como las frituras y los alimentos procesados (comida rápida, productos comerciales de repostería, galletitas de aperitivo y patatas fritas a la inglesa).

¿Y las buenas? Los ácidos grasos esenciales que se encuentran en las semillas de lino y en los productos (como harinas, aceite y suplementos) derivados del lino, el pes-

cado, los frutos secos, los aguacates, las aceitunas y el aceite de oliva. Necesitas algo de grasa para estimular tu estado de ánimo y colaborar en la formación de músculo y la producción de hormonas. Las grasas también te ayudan a sentirte satisfecho, sirviéndote para disfrutar de la comida y detenerte antes de que sea demasiado tarde. Una enorme cantidad de investigaciones están descubriendo ahora que la clave para el adelgazamiento es reducir las grasas saturadas e hidrogenadas y comer más ácidos grasos esenciales.

Finalmente, las verduras de tu Plato Combinado Cruise están llenas de fibra, uno de los secretos más importantes para el embellecimiento del vientre. La fibra se digiere lentamente, de manera que te ayudará a reducir la sensación de hambre. La fibra también ayuda a mantener más bajos los niveles de insulina, impidiendo el depósito adiposo abdominal. Y lo más importante de todo: la fibra mantiene tu tracto digestivo funcionando con regularidad. ¡Una digestión saludable equivale a un vientre precioso! (En el capítulo extra de la pág. 199, encontrarás consejos para usar la fibra, así como otras estrategias para mejorar la digestión y reducir el meteorismo).

Además de seguir el Plato Combinado Cruise, te sugiero que bebas ocho vasos de 250 c.c. de agua al día. Aproximadamente el 60 por ciento de tu cuerpo está compuesto de agua y tu metabolismo necesita agua para quemar grasa corporal y producir energía. La deshidratación puede ralentizar el proceso de quema de grasas. También puede minar tus energías, haciendo que te sientas demasiado cansado para hacer tus Ejercicios Cruise. El agua también contiene oxígeno. Para que tu mus-

culatura magra queme grasa, necesita oxígeno para ayudar a convertir las grasas en energía. Cuando bebes agua, mejoras tus niveles de oxígeno, mejorando tu metabolismo.

Puedes cubrir tus requerimientos metabólicos con agua nada más (preferiblemente, porque no tiene calorías), o bien con otras bebidas sin cafeína y alimentos con alto contenido en agua, como sopa, frutas y verduras.

las tres reglas del plato

Además de poner en tu plato las comidas en las raciones correctas,

para tener el máximo éxito con el Plato Combinado Cruise, también tendrás que seguir tres reglas más:

1. Desayunar antes de transcurrida 1 hora después de levantarte.
2. Comer cada 3 horas.
3. Dejar de comer 3 horas antes de acostarte.

Veamos por qué. Para mantener tu metabolismo en pleno rendimiento, has de tomar tu primera comida antes de transcurrida una hora después de levantarte. Mientras duermes, tu organismo no recibe ningún alimento y, por consiguiente, reduce tu metabolismo. Cuando te despiertas, te conviene incrementar lo más posible tu me-

LAS COMIDAS DE UNA JORNADA CON EL PLATO COMBINADO CRUISE

Desayuno	Refrigerio	Almuerzo	Merienda	Cena	Darse un "capricho"
Antes de transcurrida 1 hora después de levantarte	3 horas más tarde	3 horas más tarde (Si te quedas con hambre, toma otro plato de verduras.)	3 horas más tarde	3 horas más tarde (Si te quedas con hambre, toma otro plato de verduras.)	Tómalo antes de las 19.30 (O guárdatelo para un minirrefrigerio.)

Para ver más ejemplos de desayuno, almuerzo, merienda, cena, refrigerios o "caprichos", consulta las páginas 67-73.

tabolismo cuanto antes. Si no comes antes de transcurrida una hora después de despertarte, se activará tu sistema de protección contra el hambre. Y cuando eso suceda, tu organismo aún reducirá más tu metabolismo, ¡dificultándote verdaderamente la quema de la grasa abdominal!

Para mantener tu metabolismo en marcha, también te sugiero que comas cada 3 horas, lo cual significa que podrías desayunar a las 7.00, y luego tomar un refrigerio a las 10.00, almorzar a las 13.00, merendar a las 16.00 y finalmente cenar concediéndote un "capricho" a las 19.00. Estas minicomidas frecuentes te ayudarán a evitar sentir demasiada hambre en algún momento. Cuando dejas pasar tanto tiempo que llegas a tener demasiada hambre, tiendes a comer en exceso. Recuerda los momentos en que has comido más de la cuenta. ¿Empezabas la comida sintiendo un hambre canina?

Además de evitar comer en exceso y los antojos de ciertos alimentos, ¡comer cada 3 horas también incrementará tu metabolismo! Sí, es cierto. Mientras tu estómago y tus intestinos procesan la comida que ingieres y la descomponen en sus integrantes más sencillos, queman calorías en el proceso. Así pues, ¡distribuir la comida durante toda la jornada te ayuda a quemar más calorías durante el proceso de digestión! Tus refrigerios también te ayudarán a mantener estable el azúcar en sangre, evitando nuevamente los

repentinos "subidones" o "picos" de insulina que pueden provocar hambre y acumulación adiposa abdominal.

Finalmente, cierra el frigorífico y coloca un letrero imaginario de CERRADO en la cocina 3 horas antes de acostarte. Cuando comes de 2 a 3 horas antes de dormir, te acuestas con demasiada comida por digerir, y tu sistema digestivo te mantiene despierto mientras descompone los alimentos. Aunque te quedes dormido, no dormirás profundamente mientras tu cuerpo esté digiriendo. Y necesitas del sueño *profundo* para que tu organismo descanse de verdad y recuperarte de tus Ejercicios Cruise.

Si comes demasiado tarde por la noche, tu organismo emplea su energía en la digestión en vez de en reparar y endurecer tus tejidos musculares magros. Tu meta es asegurarte de que te recuperas durante el sueño en vez de malgastar tu descanso en la digestión. ¡Te prometo que te sentirás con más energía y más vital cuando te despiertes!

la depuración del organismo

Notarás en el capítulo 5 que sugiero que hagas una depuración del organismo todos los sábados. Depurar el organismo es muy importante, sobre todo para ayudar a configurar un vientre firme y precioso. Con demasiada frecuencia, las toxinas se acumulan en nuestro

organismo debido a hábitos alimentarios no precisamente ideales. En especial, cuando no se come suficiente fibra durante toda la semana, a tu organismo le resulta difícil mover de manera eficiente los desechos a lo largo del intestino. Cuando los desechos intestinales se atascan, se incrementan los gases, lo cual puede provocar meteorismo y distensión abdominal: lo último que te conviene cuando estás intentando conseguir un vientre plano.

Mi Plato Combinado Cruise te ayudará a comer una cantidad saludable de fibra, a fin de mantener tus intestinos funcionando sin problemas. No obstante, un día a la semana (el sábado), te sugiero que utilices esta depuración del organismo en tres pasos.

Paso 1. Para desayunar, tómate un batido de cascarilla de semillas de *Psyllium plantago* (*Plantago ovata*). El psyllium es muy rico en fibra y se ha demostrado en un estudio tras otro que no sólo ayuda a mantener la regularidad, sino también a reducir los niveles de colesterol y a reducir el hambre. Si consultas *www.jorgecruise.com/psyllium*, encontrarás vínculos a páginas de Internet con las mejores marcas de estos batidos.

Paso 2. Duplica tu ingesta de agua. El día de tu depuración orgánica, incrementarás tu ingesta de fibra. Tienes que beber más agua, para que se mezcle con la fibra en tus intestinos y la ablande, permitiendo un tránsito intestinal sin problemas. El agua de más también te ayudará a expulsar toxinas de tu organismo. Los sábados, bebe ocho vasos de 500 c.c. (o 16 de 250 c.c.) de agua.

Paso 3. Para el almuerzo y la cena elige una fuente de proteínas no cárnica. Por ejemplo, podrías tomar judías con arroz, un "burrito" con frijoles, o un sándwich vegetal con hummus (crema de garbanzos al sésamo). La fibra proveniente de proteínas vegetales también te ayudará a limpiar tus intestinos. Encontrarás ejemplos de comidas de proteínas no cárnicas en el capítulo extra de la pág. 199, además de otros consejos para reducir el vientre.

los peligros de la alimentación emocional

Muchas personas pueden seguir fácilmente el Plato Combinado Cruise sin sentirse nunca tentadas a comer en exceso; pero sé que algunos de vosotros necesitáis algo más de ayuda, sobre todo quienes tendéis a comer más por razones emocionales que físicas.

¿Qué es exactamente la alimentación emocional? Sucede en cualquier momento en que comes sin tener hambre y es la principal causa de autosabotaje. ¿Tiene mucha importancia? Bueno, me parece que lo que estoy a punto de

compartir contigo ¡es *la sección más importante del libro*! Verdaderamente, si no dominas este paso, nunca lograrás un vientre hermoso.

De hecho, aunque hagas 8 minutos u 8 horas de ejercicios abdominales, tu vientre *nunca* se reducirá si sigues comiendo en exceso. Una caloría es una caloría, y si ingieres más calorías de las que consumes, seguirán yendo directamente a esas células adiposas de tu abdomen ¡y recubriendo los preciosos músculos que quieres lucir!

Las emociones constituyen la razón más poderosa para comer en exceso. Antes de que recurrieran a mí como entrenador, muchos de mis clientes empleaban la comida

ann kirkendall ¡perdió más de 18 kilos!

"Los Ejercicios Cruise de Jorge me hacen sentirme poderosa antes por dentro que por fuera. Cuando tu núcleo se fortalece, sostienes todo tu cuerpo de manera distinta. Los ejercicios de Jorge te guían por el camino correcto. Y no exigen un equipo caro, así que no hay excusas para no hacerlos. ¡Son ejercicios rápidos y eficaces que actúan potentemente para reducir el vientre!

"Con el programa de Jorge, también he logrado controlar mi alimentación. Ser consciente de los desencadenantes que pueden provocar que coma emocionalmente me ha dado la capacidad de evitarlos. Ahora puedo ver mis elecciones y soy capaz de tomar el camino correcto. Ya no me ciegan los misterios que una vez provocaban que comiese mecánicamente."

¡Ann perdió 40,6 cm de tripa!

como apoyo emocional para sus disgustos y angustias. Aliviaban la tristeza con helado, recubrían la depresión con galletas de chocolate y aplacaban la ira con patatas fritas a la inglesa.

Cuando examiné la causa de su alimentación emocional, descubrí que la verdadera fuente del problema partía de un vacío emocional. Se sentían vacíos y rellenaban ese hueco con comida.

Piensa en ello. En el pasado, cuando comías *sin* tener hambre, ¿te ayudaba la comida a llenar un vacío o a anestesiar un dolor? ¿Alguna vez has sentido que la comida te ofrecía apoyo y consuelo?

Para dejar de sabotearte a ti mismo y acabar con la alimentación emocional, tienes que aprender a discernir entre el hambre emocional y el hambre nutritiva. El hambre nutritiva es una necesidad biológica. De lo que se trata es de proporcionar a tu organismo los materiales de construcción que necesita para mantenerse sano y generar musculatura magra. El hambre emocional proviene a menudo de la falta de apoyo, consuelo y calor humano. Sólo podrás salir de la montaña rusa de la alimentación emocional cuando reemplaces la comida por el apoyo de amigos y familiares.

En mi último libro, *8 Minutes in the Morning for Real Shapes, Real Sizes*, creé una poderosa técnica llamada *La Solución Personal*, que proporcionaba a mis clientes una fuerte protección contra la alimentación emocional. Desde la publicación de ese libro, he oído innumerables historias de éxito de lectores que la probaron y les encantó. La Solución Personal te enseña a usar la energía de los demás como apoyo y para reemplazar la necesidad y el consuelo de la comida. Incluye tres tácticas clave:

1. Conviértete en tu mejor amigo. La primera persona de la Solución Personal eres tú. Con excesiva frecuencia, la gente mantiene con su cuerpo una relación de amor y odio. Pero para tener éxito tienes que respetar tu cuerpo y tratarlo como el mayor don que has recibido. Sólo te comprometerás firmemente con los Ejercicios Cruise y alimentarás tu organismo con comida saludable cuando respetes tu cuerpo.

Para ayudar a que esto suceda, sugiero a todos mis clientes que creen lo que llamo un "Cartel de Promesas de Poder". En el cartel, escriben la frase: "Mi cuerpo actual es el regalo más precioso que jamás he recibido". Debajo de ella, escriben las consecuencias positivas de creer en esa afirmación. Por ejemplo, podrías escribir: "Trataré mi cuerpo como una prioridad absoluta", o "Nutriré adecuadamente mi organismo". Luego, debajo de esas consecuencias, escribe 10 oraciones que describan por qué tu cuerpo es un regalo precioso. Por ejemplo, podrías escribir: "Mi cuerpo me ayuda a llegar a donde tengo que ir". Te animo a crear tu propio Cartel de Promesas de Poder. Después de hacerlo, saca tres fotocopias y colócalas en sendos sitios de casa o de tu lugar de trabajo donde lo veas a menudo.

2. Establece un círculo de apoyo. Éste es el segundo grupo de "personas" de la Solución Personal. Animo a todos mis clientes a crear una red de apoyo de, como mínimo, tres personas que les ayudarán a motivarse para atenerse a su programa. El círculo íntimo puede incluir familiares, compañeros de trabajo, miembros de tu parroquia o confesión religiosa y, por supuesto, buenos amigos. Tienes que elegir personas que te permitan sentirte cómodo al comunicarles tus sentimientos. Algunas de esas personas deben ser amigos por correo electrónico, personas a las que puedas enviar un mensaje a cualquier hora del día o de la noche cuando te sientas a punto de tener un desliz. Otros podrían ser amigos telefónicos, personas que acepten "estar de guardia" por si necesitas apoyo. Una persona tiene que ser un "encargado de la responsabilidad": alguien con quien puedas reunirte una vez a la semana para repasar los detalles del programa junto con los retos que estés encontrando y tus grandes avances.

3. Amplía tu círculo de amistades. Además de elegir a tres personas que ya conozcas para que te ayuden a sostener tus esfuerzos, irás añadiendo cada vez más personas a tu círculo íntimo, algo que podrías hacer ingresando o fundando un grupo de lectores sobre adelgazamiento "Jorge Cruise" o conectándote en línea con *JorgeCruise.com* ¡y conociendo a millones de *cruiseros* que han emprendido el mismo viaje que tú! En *8 Minutes in the Morning for Real Shapes, Real Sizes*, incluyo muchos más detalles sobre La Solución Personal. Sin embargo, ya sabes lo suficiente para empezar. Si te gustaría recibir más consejos sobre cómo incorporar a tu vida La Solución Personal, te sugiero que consigas un ejemplar de *8 Minutes in the Morning for Real Shapes, Real Sizes.*

en busca de mayor seguridad

Desde la publicación de *8 Minutes in the Morning for Real Shapes, Real Sizes*, descubrí que, aunque La Solución Personal ayudaba a mis clientes a eliminar casi todos los casos de alimentación emocional, algunas personas seguían encontrándose con *situaciones de emergencia de alimentación emocional*, situaciones que me gusta llamar Momentos Donuts.

Para ayudar a mis clientes a inmunizarse completamente incluso contra la más seductora de las tentaciones, creé El Sistema de los Cinturones de Seguridad. Funciona del siguiente modo. Imagina que vas conduciendo por la carretera en un coche realmente seguro (un Volvo, por ejemplo). Te sientes seguro porque sabes que el coche ha sido fabricado específicamente para protegerte a ti y a los pasajeros en caso de accidente. Si tuvieras un accidente, el bastidor último modelo de Volvo absorbería el impacto, manteniendo tu cuerpo bien seguro.

Pero incluso en un Volvo, no conducirías por carretera sin tu cinturón de seguridad, ¿verdad? Pues bien, aquí se aplica el mismo principio. Mi Solución Personal te proporciona el coche seguro. Te ayudará a reducir el impacto emocional por la carretera de la vida. Pero también quieres estar protegido contra accidentes repentinos que puedan expulsarte del coche. Necesitas un cinturón de seguridad para mantenerte seguro en el asiento del conductor de la alimentación saludable y la pérdida de peso.

Mi Sistema de los Cinturones de Seguridad te proporciona un conjunto de fuertes cinturones que te ayudarán a superar todas las situaciones que puedan conducirte a comer emocionalmente. Igual que los conductores de coches de carreras tienen múltiples cinturones de seguridad que les mantienen superseguros en la carretera, tú dispondrás de múltiples cinturones de seguridad para mantenerte *superseguro* en la cocina, los restaurantes, la cafetería, o dondequiera que te encuentres entre comida.

el sistema de los cinturones de seguridad

Con la ayuda de millones de clientes *online* y personales, he ideado los siguientes cinco "cinturones de seguridad" para ayudarte a prevenir actos impremeditados de sobrealimentación.

Cinturón n.º 1
El Bucle de Audio

Este cinturón funciona en gran medida como la autohipnosis. Para este cinturón de seguridad, tienes que grabarte una cinta digital o de audio que escucharás una y otra vez para que te ayude a protegerte frente a la sobrealimentación. Para hacerte la cinta, responde con mucha brevedad a las siguientes preguntas:

1. ¿Qué perderé en mi vida si no me cuido?

Por ejemplo, podrías escribir: "Si dejo de cuidarme, podría perder la salud, la energía y mis relaciones".

2. ¿Qué ganaré cuando me ponga sano?

Aquí podrías escribir: "Si me atengo al programa, podré lucir mi vientre, sentirme más seguro/a de mí mismo/a y vivir más años".

Da respuestas cortas. Cuando las leas en voz alta, debes tardar en leerlas menos de 30 segundos.

Entonces las grabarás con una grabadora de casetes o digital. Si empleas una grabadora de casetes, graba en una cinta con *autolooping* (en EE. UU. se encuentran en Radio Shack y otras tiendas de electrónica), que te permitirá volver a poner el mensaje fácilmente.

Cuando grabes tus respuestas, ten puesta suavemente música dramática de fondo. Te sugiero que uses música terrorífica, como el tema de *Tiburón*, para la primera pregunta y música inspiradora, como el tema de *Carros de fuego*, para la segunda. Haz dos cintas: una para casa y la otra para los viajes (como para usarla en un *walkman*).

Escucharás tu cinta una y otra vez. Pasa con ello lo que con nuestras canciones favoritas. Recuerda las canciones que hayas oído mucho en la radio. Después de un cierto tiempo, puedes escucharlas mentalmente sin que suenen en realidad. Ése es el poder de la repetición y de eso es de lo que trata todo esto.

La repetición grabará estos conceptos en tu mente, ayudándote a reforzar tu motivación para atenerte a tu plan. Durante muchos años, los científicos han sabido que tales afirmaciones positivas pueden ayudar a mejorar espectacularmente la salud. Ya a principios del siglo XX, un científico llamado Emile Coué recomendaba a sus pacientes que se dijeran veinte veces al día: "Cada día mejoro cada vez más en todos los sentidos". ¡Se rumoreaba que las afirmaciones mejoraban su salud! Si tales pensamientos positivos regulares pueden mejorar la salud interna, ¡imagínate lo que pueden hacer por tu motivación para tonificar tu vientre!

El Bucle de Audio ha ayudado enormemente a Susan, una de mis clientas. Susan tiene un viaje de 20 minutos del trabajo a casa. Solía ceder a antojos durante ese viaje y luego se sentía culpable por picar patatas fritas y otras clases de comida rápida. Ahora ha vencido sus tentaciones de comida rápida con el Bucle de Audio. En cuanto se mete en el coche, pone la cinta. "Se te graba realmente en el cerebro tan sólo después de unos minutos", me contó. Escucha sus afirmaciones durante todo el viaje hasta casa. Por malo que haya sido el día de trabajo, me contó que ya nunca se para a comprar comida rápida de camino a casa.

Cinturón n.º 2
Citas Poderosas

Probablemente deduzcas, a partir de la lectura de este libro, que me encantan las citas inspiradoras. Para mí, no hay nada como leer la cita perfecta justo en el momento preciso que me inspire para comer bien y atenerme a mis rutinas de puesta en forma.

Elige Tus Cinturones

Quiero que te comprometas firmemente a utilizar el Sistema de Cinturones de Seguridad escribiendo en el espacio indicado tus tres Cinturones, y cómo usarás cada uno.

Los tres cinturones que usaré son:

1. _____

2. _____

3. _____

Así es cómo incorporaré cada cinturón a mi vida:

1. _____

2. _____

3. _____

Por eso te sugiero que crees un montón de tarjetas del tamaño de las de visita con "citas poderosas" en ellas. Así, dondequiera que te encuentres, siempre puedes sacar una tarjeta y leer una cita que te inspire para tener éxito. Para empezar, busca en libros de citas o en *JorgeCruise.com* y toma nota de algunas citas que sientas realmente que nutren tu motivación. No tienen por qué ser sólo citas de personas famosas. Puedes apuntar frases que veas en pegatinas de automóviles, camisetas, tarjetas de felicitación, e incluso los comentarios motivadores informales de amigos o familiares. Escribe tus citas en un procesador de textos e imprímelas en tus tarjetas de visita. (Puedes comprar tarjetas ya perforadas en una tienda o gran almacén de artículos de oficina, junto con el *software* que te ayude a imprimir fácilmente las citas en ellas.)

Cuando ya te hayas hecho las tarjetas, plastifícalas y llévalas contigo. Míralas siempre que necesites una inyección de entusiasmo. Por ejemplo, una de mis clientas lleva una tarjeta con una cita de su marido. Cuando ella estaba debatiéndose con un tema del trabajo, él comentó: "Resistir la tentación es una verdadera medida del carácter". El comentario le impresionó tanto que lo puso en una tarjeta de visita y lo lleva consigo, usándolo para estimularse positivamente en cualquier situación difícil.

Cinturón n.º 3
Póster del "Antes" y el "Después"

Una de mis clientas ha colocado en el frigorífico una foto de sí misma cuando más pesaba. Junto a ella, tiene una foto de sí misma cuando menos pesaba. Cada vez que se siente tentada de "atracar" el frigorífico, ve las fotos. "Pienso: '¿Quién quiero ser, la persona gorda de la izquierda o la *sexy* y en forma de la derecha?'. A menos que tenga verdadera hambre, siempre elijo la *sexy* y en forma, y me aparto del frigorífico."

"Tengo mis fotos en la puerta de la despensa y en el frigorífico (mis dos zonas de peligro)", dice Reggie, otro cliente que usa la técnica del Antes y el Después.

Si no tienes una foto de ti "después", puedes usar una foto de un/a modelo de revista al o a la que quieras emular. O puedes cubrir tu frigorífico con fotos de vientres preciosos recortadas de revistas. Usa cualquier imagen que te ayude a recordar tu meta.

Cinturón n.º 4
La Tabla de Comidas para Tomar sobre la Marcha

Lo más probable es que comas alimentos insanos cuando te sientas estresado o con prisas. Pero puedes evitar este problema con un poco de preparación. Tómate un momento para pensar en algunos desayunos, almuerzos, cenas, meriendas y caprichos saludables que se te ocurran. Por

"Tus tres cinturones te ayudarán a atenerte a tu Plato Combinado Cruise, alimentándote nutritivamente en vez de emocionalmente."

ejemplo, podrías tener varias cenas congeladas a mano o, para una comida, podrías tomarte un batido de sustitución (para marcas concretas, visita *www.jorgecruise.com/meal replacement*), junto con una manzana.

Hazte una lista de tantas comidas para tomar sobre la marcha como te sea posible y luego pega tu lista en el frigorífico. Esto también te facilitará la elaboración de la lista de la compra, porque, para ver lo que necesitas de la tienda, puedes consultar tu "lista de comidas para tomar sobre la marcha".

Cinturón n.º 5
Un Buen Inicio

Este cinturón es muy sencillo, pero muy potente. Te recomiendo que pongas como página de inicio de tu navegador, tanto en el trabajo como en casa, *www.jorge-cruise.com*. Siempre que te conectes a Internet, mi web aparecerá y te servirá para recordar tu éxito. A diario pongo en mi sitio web una cita inspiradora que te ayudará a que te sientas motivado a mantenerte en el buen camino. También puedes hacerme preguntas o entrar en cualquiera de los *chats* o en los grupos de discusión, si necesitas más apoyo. Como dice uno de mis clientes: "Cuando estoy en el trabajo, me basta con encender el ordenador para ver la cara de Jorge y sentirme como si me estuviera observando, ¡y no me sabotearía a mí mismo si tú estuvieras físicamente aquí conmigo!".

la potencia de tres

Te he proporcionado diversos cinturones de seguridad. Quiero que elijas tres que te ayuden a mantenerte en el buen camino. Escríbelos en el espacio indicado de la pág. 63. Si quieres usar más, estupendo; pero tres es el mínimo.

Tus tres cinturones te ayudarán a atenerte a tu Plato Combinado Cruise, alimentándote nutritivamente en vez de emocionalmente. En pocas palabras: si comes nutritivamente, generarás musculatura magra. Si comes emocionalmente, generarás grasa. La elección es tuya.

Te desafío ahora mismo a elegir comer *nutritivamente*. Y para ayudarte a vencer la alimentación emocional, usa tus tres cinturones de seguridad preferidos, pero también asegúrate de venir a visitarme en *JorgeCruise.com*, mi club de adelgazamiento *online*. Allí conocerás a más gente que te apoye y te ayude a acelerar tu pérdida de peso. Antes de que te des cuenta, parecerás y te sentirás más atractivo/a y *sexy* que nunca.

modelos de comida fácil de consumir

Si todavía no estás del todo seguro de cómo usar el Plato Combinado Cruise, aquí encontrarás todo lo que necesitas saber.

sencillo y delicioso

Para ayudarte a resolver el modo de disponer los alimentos en el plato en las raciones correctas, he comenzado con unas comidas de muestra con el Plato Combinado Cruise. Basta con que sigas las fotos de la pág. 67 para que cojas la onda. Pero recuerda que sólo son muestras. Para seguir el Plato Combinado Cruise, sólo tienes que cumplir una regla sencilla: llena la mitad del plato con verduras y la otra mitad con raciones iguales de hidratos de carbono y alimentos proteínicos, junto con una cucharadita de grasa. Y si te quedas con hambre, toma otro plato de verduras. ¡Así de fácil!

Usa estas fotos para que te den ideas y te sirvan de inspiración. Disfruta y acabarás creando tus propios deliciosos Platos Combinados Cruise en las raciones correctas para adelgazamiento. Si quieres más modelos de comidas y consejos sobre el empleo del Plato Combinado Cruise, consulta *8 Minutes in the Morning for Real Shapes, Real Sizes.*

"Tu meta para el Plato Combinado Cruise: Comer para sostener la reconstrucción de tu musculatura magra."

secretos clave

Sigue una regla sencilla para el Plato Combinado Cruise: llena la mitad de tu plato con verduras, un cuarto con hidratos de carbono y el cuarto restante con alimentos proteínicos, y añade una cucharadita de grasa.

Modelo 1

Desayuno   1 taza de leche con ½ taza de cereales integrales; pomelo; 6 almendras

Refrigerio   3 ramas de apio recubiertas, en la parte cóncava, con 1 cucharadita de mantequilla de cacahuete cada una

Almuerzo   Sándwich (2 rebanadas de pan bajo en calorías, 60 g de pavo, 1 loncha de beicon magro, lechuga, tomate en rodajas); ⅛ de aguacate; 25 cl (1 taza) de sopa de verduras

Merienda   30 pasas

Cena   Taco mexicano (50 g de carne picada magra de vaca, tortilla de maíz de 15 cm, 25 g de queso rallado descremado, lechuga picada, tomate en dados, salsa picante de tomate y cebolla); ensalada verde mixta con 1 cucharadita de aceite de lino

Capricho   ½ cucharada de chocolatinas troceadas

Modelo 2

Desayuno   6 huevos revueltos (sólo las claras); 1 patata pequeña, en dados y salteada en 1 cucharadita de aceite de oliva; 1 naranja

Refrigerio   1 barrita de queso en hilachas

Almuerzo   Ensalada mexicana de taco (50 g de carne picada de pavo para taco, 25 g de queso Cheddar descremado rallado, 15 chips de tortilla al horno sin grasa desmenuzados, una cucharada de aliño para ensalada a base de aceite, lechuga picada, tomate en dados, cebollas, zanahorias)

Merienda   1 taza de palomitas de maíz espolvoreadas con condimento picante de hierbas

Cena   85 g de salmón a la parrilla; 125 g (½ taza) de arroz basmati; medio plato de brécol con 1 cucharadita de aceite de lino

Capricho   1 paquete de *Reese's Peanut Butter Cups* (mantequilla de cacahuete con chocolate)

lista de alimentos opcionales para el plato combinado cruise

Como ya hemos comentado al principio de este capítulo, el Plato Combinado Cruise te ofrece el método más sencillo como apoyo en tu meta de restaurar tu metabolismo. No hay en él ningún recuento de calorías que te haga perder el tiempo, ni prohibiciones de alimentos. Mientras llenes la mitad superior de tu plato con verduras y la mitad inferior con raciones equivalentes de alimentos proteínicos e hidratos de carbono, acompañado todo ello con 1 cucharadita de grasa, proporcionarás a tu cuerpo los materiales esenciales para la generación muscular, a fin de crear nuevo músculo magro, ¡que quemará la grasa!

algunas sugerencias

He incluido las siguientes listas de alimentos para emplearlas con el Planificador de Jorge Cruise de la pág. 83, como recurso opcional para quienes queréis algo más de seguridad durante vuestra primera o las primeras dos semanas con el Plato Combinado Cruise. Si en algún momento te sientes confuso respecto a las cantidades de comida que colocar en tu Plato Combinado Cruise, consulta mis sencillas listas de alimentos de las páginas siguientes

Emplea durante 1 semana estas listas para calcular tus raciones de comida. Después, deberías ser capaz de calcular a ojo tus raciones de comida automáticamente, sin necesidad de medir con tazas ni cucharas. Considera tu primera semana como de entrenamiento. ¡Pronto estarás preparado para retirar de tu bicicleta las ruedecillas de adiestramiento y rodar sin esfuerzo por la carretera de la pérdida de peso!

valores calóricos aproximados

Aunque he hecho todos los cálculos por ti, tan sólo como referencia te ofrezco aquí los valores calóricos aproximados de todas las casillas que se encuentran en el Planificador de Jorge Cruise de la pág. 83. ¡Todo lo que tienes que hacer es ir marcando los recuadros del planificador!

Verduras/Frutas	50
Grasas	45
Hidratos de carbono	80
Proteínas	75
Refrigerio	100
Capricho	30-50

verduras/ frutas

verduras

Las verduras ricas en almidón (fécula) no aparecen en esta lista; se hallan en la lista de Hidratos de carbono. Por cada cantidad concreta de verduras, marca 1 casilla de Verduras en tu planificador. Todas las raciones son de 130 g en crudo o 170 g hervidas, a menos que se indique lo contrario:

- Alcachofa, mediana
- Algas crudas
- Arvejas cometodo o chinas (*Pisum sativum* var. *macrocarpum*)
- Berenjena
- Brécol
- Brotes de judías *mung*
- Cebollas
- Chayote (calabaza)
- Chirivías
- Col rizada (*Brassica oleracea* var. *acephala*)
- Coles de Bruselas
- Coliflor
- Colinabo o nabo de Suecia (*Brassica napus napobrassica*)
- Concentrado de tomate (25 cl = 1 taza)
- Espárragos
- Hojas de *Brassica oleracea* (col, berza, repollo)
- Hojas de remolacha
- Judías verdes
- Nabos
- Pasta de tomate (6 cucharadas)
- Pepinillos en vinagre (3 grandes)
- Pimiento (verde, amarillo, rojo)
- Puerros
- Remolacha
- Repollo agrio (*Sauerkraut, chucrut*)
- Salsa de tomate (25 cl = 1 taza)
- Sopa de verduras sin grasa y baja en sodio (25 cl = 1 taza)
- Tomate (2 medianos)
- Tomate de cáscara (*Physallis ixocarpa*) crudo (2 medianos)
- Tomate enlatado (25 cl = 1 taza)
- Vainas de guisante
- Zanahorias

fruta

Por cada cantidad especificada, marca 1 casilla de Fruta en tu Planificador de Jorge Cruise. Si no puedes encontrar una fruta concreta en la lista, marca 1 casilla por cada fruta fresca de tamaño pequeño o mediano, 125 g (½ taza) de fruta enlatada, o 60 g (¼ de taza) de frutos secos. Lo ideal es comer fruta sólo para el desayuno, debido a su elevado contenido en azúcares simples.

- Albaricoques (4)
- Arándanos (187,5 g = ¾ de taza)
- Cerezas (12 grandes)
- Ciruelas (2 medianas)
- Ciruelas pasas (2)
- Cóctel o macedonia de frutas (12,5 cl = ½ taza)
- Frambuesas (125 g = 1 taza)
- Kiwi (1 grande)
- Manzanas, verdes o rojas (1 mediana)
- Melocotón (1 mediano)
- Melón cantalupo (⅓ de melón, o 250 g = 1 taza, en dados)
- Melón de pulpa verdosa dulce (⅛ de melón, o 250 g = 1 taza, troceado)
- Moras (187,5 g = ¾ de taza)
- Naranja (1 mediana)
- Pera de color verde (1 pequeña)
- Piña tropical, enlatada en su jugo (83 g = ⅓ de taza)
- Plátanos (½ mediano)
- Pomelo (½)
- Puré de manzana con especias, sin azúcar ni edulcorantes (12,5 cl = ½ taza)
- Sandía (250 g = 1 taza, troceada)
- Uvas pasas (2 cucharadas)
- Uvas, verdes o negras (12)
- Zumo de arándanos rojos (12,5 cl = ½ taza)
- Zumo de manzana (12,5 cl = ½ taza)
- Zumo de pomelo (12,5 cl = ½ taza)

grasas

Por cada cantidad especificada, marca 1 casilla de Grasas en tu Planificador de Jorge Cruise.

grasas recomendadas

- Aceite de lino (1 cucharadita o 4 cápsulas)
- Aceite de oliva (1 cucharadita)
- Aceitunas (10 pequeñas o 5 grandes)
- Aguacate (⅛ de uno mediano)
- Aliño para ensalada a base de aceite (1 cucharada)
- Almendras crudas (6)
- Anacardos (6)
- Cacahuetes (10)
- Mantequilla de almendra (1 cucharada) MÁS 1 casilla de Proteínas
- Mantequilla de cacahuete (2 cucharaditas) MÁS 1 casilla de Proteínas
- Mayonesa de soja (1 cucharada)
- Pacanas (4 mitades)
- Pipas de calabaza (1 cucharada)

- Pipas de girasol (1 cucharada)
- Puré de sésamo (tahín) (2 cucharaditas)
- Semillas de sésamo (1 cucharada)

grasas que consumir en mínimas cantidades

- Coco (2 cucharadas)
- Crema agria (2 cucharadas)
- Crema agria baja en calorías (3 cucharadas)
- Manteca para cocinar (1 cucharadita)
- Mantequilla baja en calorías (1 cucharada)
- Mantequilla batida (2 cucharaditas)
- Mantequilla en barra (1 cucharadita)
- Mayonesa (1 cucharadita)
- Mayonesa baja en calorías (1 cucharada)
- Mezcla de nata y leche (2 cucharadas)
- Queso cremoso (1 cucharada)
- Queso cremoso bajo en calorías (2 cucharadas)

hidratos de carbono

Por cada cantidad especificada, marca 1 casilla de Hidratos de carbono en tu Planificador de Jorge Cruise. Las opciones altas en grasa te exigirán marcar 1 o 2 casillas de Grasas además de la casilla de Hidratos de carbono complejos. Si no puedes encontrar en la lista un hidrato de carbono complejo en particular, marca una casilla por cada ½ taza de cereales de desayuno, cereales, pasta o verduras ricas en féculas.

panes

- *Bagel*, bollo en forma de rosquilla (½ bagel de 55 g)
- Gofre sin grasa (1)
- *Muffin* inglés (½)
- *Nan* (pan indio) (¼ de una barra de 20 x 5 cm)
- Pan de molde (25 g o 1 rebanada)
- Panecillo para hamburguesas (½)
- Panecillo redondo, para cena (1 pequeño)
- Pita, de 15 cm (½)
- Tortilla mexicana de harina, de unos 18 cm (1)
- Tortilla mexicana de maíz, de 15 cm (1)

cereales

- Arroz basmati (83 g = ⅓ de taza)
- Arroz integral, hervido (83 g = ⅓ de taza)
- Arroz salvaje o de la India (*Zizania aquatica*), hervido (83 g = ⅓ de taza)
- Bulgur, hervido (125 g = ½ taza)
- Cebada, hervida (125 g = ½ taza)
- Cereales de desayuno a base de avena, bajos en grasa (unos 100 g = ½ taza)
- Cereales de desayuno calientes (125 g = ½ taza)
- Cereales de desayuno fríos y azucarados (25 g = ½ taza)
- Cereales de desayuno fríos y sin azúcar (40 g = ¾ de taza)
- Cuscús, hervido (125 g = ½ taza)
- Germen de trigo (3 cucharadas)
- Sémola de maíz hervida (125 g = ½ taza)
- Trigo sarraceno (Kasha), hervido (125 g = ½ taza)

harina

- Harina de *matzo*, de origen hebreo (30-50 g = ⅓ de taza)
- Harina de trigo integral multiuso (2,5 cucharadas)
- Maizena (2 cucharadas)

pasta

- Todas las variedades hervidas, como, por ejemplo, espaguetis, linguine, fideos, macarrones (125 g = ½ taza)

verduras ricas en féculas

- Batata (83 g = ⅓ de taza)
- Calabaza (½ taza = 112,5 g en puré y 75 g hervida en trozos)
- Calabaza confitera o zapallo (*Cucurbita maxima*) (337,5 g = ¾ de taza)
- Guisantes verdes (75 g = ½ taza)
- Maíz (125 g = ½ taza)
- Mazorca de maíz (una de 15 cm)
- Patata al horno (1 pequeña)
- Patata instantánea precocinada (83 g = ⅓ de taza)
- Patatas fritas (10) MÁS 1 casilla de Grasas
- Puré de patata (150 g = ½ taza)
- Raíz de yuca hervida (125 g = ½ taza)

crujientes

- *Crackers* de trigo integral (2-5)
- Galletas saladas cuadradas y grandes (6)
- Galletitas redondas de aperitivo (24)
- *Matzo* judío (21 g)
- Tostadas Melba (4)

proteínas

Por cada cantidad especificada, marca 1 casilla de Proteínas en tu Planificador de Jorge Cruise. Las opciones más altas en grasa te exigirán marcar 1 o 2 casillas de Grasas además de la casilla de Proteínas. Las fuentes cárnicas de proteínas se basan en raciones cocinadas; la carne cruda se reduce al cocinarse. Una pechuga de pollo cruda de 100 g se reducirá a 75 g al cocinarla.

legumbres

- Frijoles refritos (al estilo mexicano), añadiendo grasa (83 g = ⅓ taza) MÁS 1 casilla de Grasas
- Garbanzos, hervidos (35 g = ½ taza)
- Guisantes amarillos, hervidos (50 g = ½ taza)
- Hummus, crema de garbanzos al sésamo (62,5 g = ¼ taza) MÁS 1 casilla de Grasas
- Judías blancas, hervidas (37,5 g = ½ taza)
- Judías de Lima (*Phaseolus lunatus*), hervidas (37,5 g = ½ taza)
- Judías negras, hervidas (37,5 g = ½ taza)
- Judías pintas, hervidas (37,5 g = ½ taza)
- Judías rojas y grandes, hervidas (37,5 g = ½ taza)
- Lentejas, hervidas (½ taza = 37,5 g (100 g secas))

queso (48,5 calorías o menos por cada 25 g)

- Americano (25 g)
- Cheddar (25 g)

- De soja, todas las variedades (25 g)
- Feta (25 g)
- Monterrey Jack (25 g)
- Muenster (25 g)
- Parmesano, rallado (1 cucharada)
- Provolone (25 g)
- Requesón, total o parcialmente descremado (56 g = ¼ de taza)
- Ricotta, total o parcialmente descremada (56 g = ¼ de taza)
- Suizo tipo Ementhal (25 g)

lácteos

- Helado de yogur total o parcialmente descremado (12,5 cl = ½ taza)
- Leche de soja, reforzada, descremada al 1 % o totalmente (25 cl)
- Leche en polvo descremada (8 cl = ⅓ de taza)
- Leche sin lactosa, total o parcialmente descremada (25 cl)
- Leche, descremada al 1 % o totalmente (25 cl)
- Leche, entera (25 cl) MÁS marcar 2 casillas de Grasas
- Yogur natural, de leche entera (25 cl) MÁS marcar dos casillas de Grasas
- Yogur natural, total o parcialmente descremado (25 cl)
- Yogur, total o parcialmente descremado, con sabores (12,5 cl = ½ taza) MÁS marcar dos casillas de Frutas

huevos

- Claras de huevo (3)
- Huevina, sucedáneo de huevo (62,5 g = ¼ de taza)
- Huevo entero (1)

aves

- Pollo o pavo, carne blanca sin piel (25 g)
- Pollo o pavo, carne oscura con piel (25 g) MÁS 1 casilla de Grasas

pescado enlatado

- Atún blanco al natural (62,5 g = ¼ de taza)
- Salmón al natural (62,5 g = ¼ de taza)
- Sardinas al natural (2 medianas)

pescado fresco o congelado

- Atún (25 g)
- Emperador o pez espada (25 g)
- Lenguado (25 g)
- Lubina (25 g)
- Mahi Mahi (*Coryphaena hippurus*) (25 g)
- Pescado frito (25 g) MÁS 1 casilla de Grasas
- Salmón (25 g)

marisco

- Almejas (50 g)
- Cangrejos de mar (50 g)
- Cangrejos de río (50 g)
- Langosta (50 g)
- Ostras (6 medianas)
- Quisquillas (50 g)
- Vieiras (50 g)

productos de soja

- Hamburguesa de soja (½)
- Leche de soja, reforzada, descremada al 1% o totalmente (25 cl)
- Perrito caliente de soja (1)
- Proteínas de soja texturizadas (1 cucharadita o 25 g)

- Queso de soja (25 g)
- Soja hervida (37,5 g = ½ taza)
- Tofu (125 g = ½ taza)

carnes rojas

- Babilla (25 g)
- Beicon (1 loncha) MÁS 1 casilla de Grasas
- Cabrito (25 g)
- Cadera alta de ternera (25 g)
- Chuletas de ternera o ternera asada (25 g)
- Cordero, pierna o paletilla (25 g)
- Falda (25 g)
- Jamón, ahumado o fresco (25 g)
- Lomo alto (25 g)
- Perrito caliente, carne de vacuno, cerdo o combinación (25 g) MÁS 2 casillas de Grasas
- Solomillo (25 g)

refrigerios y meriendas

Por cada cantidad especificada, marca 1 casilla de Refrigerios en tu Planificador de Jorge Cruise. En general, los refrigerios equivalen a unas 100 calorías.

- Almendras (12)
- Almendras recubiertas de chocolate (7)
- Anacardos (12)
- Apio (3 ramas con 1 cucharadita de mantequilla de cacahuete sobre cada una)
- *Baker's Breakfast Cookie*® (*www.bakersbreakfastcookie.com*) (1)
- Barrita de caramelo de dulce de leche, sin grasa, de la marca Skinny Cow (1)

- Barrita de cereales de Kudos con chocolate de M&M (1)
- Barrita de cereales para desayuno a base de avena, baja en grasas (1)
- Barrita de chocolate con leche de la marca Hershey's (1 pequeña)
- Barrita de chocolate con leche y almendras de la marca Hershey's (1 pequeña)
- Bolitas de leche malteada Whoppers (9)
- Brownie con caramelo de dulce de leche sin grasas de la marca No Pudge! (*www.nopudge.com*) (1 cuadradito de 5 cm)
- *Brownie*, bizcocho de chocolate y nueces (1)
- *Butterscotch*, caramelo duro hecho con azúcar y mantequilla (4 piezas)
- Cacahuetes (20)
- Caramelo de dulce de leche (25 g)
- Caramelo duro de cacahuete (25 g)
- Cereales de desayuno marca Uncle Sam (12,5 cl = ½ taza, en seco)
- *Crackers* de trigo integral (2-5)
- Fruta, 1 pieza (ver listas de frutas para el tamaño de la ración)
- Galletitas redondas de aperitivo (24)
- Gelatina (125 g = ½ taza)
- *GeniSoy Soy Crisps*, aperitivos crujientes de soja de la marca GeniSoy (25)
- *Heath bar* (1 tamaño *snack*)
- Helado de yogur, parcial o totalmente descremado (12,5 cl = ½ taza)
- *Kit Kat* (1 paquete con 2 barritas)
- Maíz acaramelado (20 piezas)
- Pacanas (8 mitades)
- Palomitas de maíz (3 tazas)
- Pastel de ángel (pastel norteamericano esponjoso muy

ligero hecho con clara de huevo) (rebanada de 50 g)
- Pastelitos de arroz (2)
- Pastillas de goma (25 g)
- Patatas fritas a la inglesa sin grasa (15-20)
- Pipas de calabaza (2 cucharadas)
- Pipas de girasol (2 cucharadas)
- *Pound cake*, pastel inglés de bizcocho con mantequilla (rebanada de 25 g)
- *Pretzels*, galletas saladas en forma de 8 (20 g)
- Queso en hilachas (1)
- Sándwich de helado bajo en grasa de la marca Skinny Cow (½)
- Semillas de sésamo (2 cucharadas)
- Sorbete (12,5 cl = ½ taza)
- *Sweet Escapes* de la marca Hershey's (1 barrita, de cualquier clase)
- Tarrina de budín, libre de grasa (1)
- *Tofutti*® (postre de soja) (6 cl = ¼ taza)
- Tortilla chips, bajas en calorías (15-20)
- Tostadas Melba (4)
- Uvas pasas (30)
- Yogur, parcial o totalmente descremado (225 g)
- Zanahorias pequeñas (*baby carrots*) (300 g = 2 tazas)

"caprichos"

Por cada cantidad especificada, marca 1 casilla de "Caprichos" en tu Planificador de Jorge Cruise. Date un gusto a diario premiándote con algún capricho. En general, deben contener de 30 a 50 calorías.

- Barrita de regaliz (1)
- Caramelo duro (1)
- Caramelos de goma (7)

- Chocolatinas de menta (4)
- *Crackers*/galletas de trigo integral *Graham* (1 cuadrado de 6 cm)
- Dulce de malvavisco (1 grande)
- Galleta de la marca Miss Meringue (*www.missmeringue.com*) (1)
- Galleta dulce sin grasa (1 pequeña)
- Galleta sándwich de SnackWell's (1)
- Galletas de jengibre (3)
- Helado descremado (125 g = ½ taza) adornado con sirope de chocolate marca Hershey's
- *Hugs* o *Kisses* de Hershey's (2)
- Loncha de queso bajo en calorías (1)
- M&M (¼ de una bolsa pequeña)
- Miniaturas de Hershey's (1, de cualquier clase)
- Minis de M&M (¼ de tubo)
- *Oreo cookie*, galleta de licor de café, crema de cacao, crema de whisky y vodka (1)
- Palomitas de maíz (1 taza)
- Pastillas de goma (8 pequeñas)
- Postre de gelatina no azucarada (1)
- *Reese's Peanut Butter Cups* (mantequilla de cacahuete con chocolate): 1 paquete
- Salsa de arándanos (6,2 cl = ¼ de taza)
- Trocitos de chocolatina (½ cucharada)
- Uvas heladas sin semilla (250 g = 1 taza)
- *York Peppermint Pattie*, pastelito de menta recubierta de chocolate (1 pequeño)

alcohol

Para conseguir la máxima pérdida de peso, el alcohol debe mantenerse al mínimo y limitarse a ocasiones especiales. Marca 1 casilla de Refrigerios en tu Planificador de Jorge Cruise por cada una de las cantidades especificadas.

- Cerveza (35 cl)
- Cerveza light (35 cl)
- Licor (4,5 cl)
- Vino (15 cl)

regalos

Los siguientes artículos no tienes por qué contarlos y puedes consumirlos con la frecuencia que desees. Son alimentos excelentes si quieres un segundo plato de comida o más refrigerios o meriendas de las dos diarias. ¡Que los disfrutes!

verduras

- Ajo
- Apio
- Berros
- Brotes de alfalfa
- Calabacín
- Cebollas
- Cebolletas
- Espinacas
- Jalapeños y guindillas
- Jícama
- Lechuga, de todas clases (iceberg, cogollos, romana)
- Pepino
- Rábanos
- Repollo
- Setas

bebidas

- Agua mineral o con gas (añade lima o limón: ¡mejora mucho el gusto!)
- Café solo
- Canarino, bebida italiana de limón caliente (*www.canarino.com*)
- Refrescos sin calorías
- Té

  Nota: por cada bebida que bebas que contenga cafeína, tienes que incrementar la ingesta de agua en 2 vasos extras para mantenerte hidratado.

condimentos

- Ajo
- Condimentos de la marca Mrs. Dash
- Especias
- Finas hierbas, frescas o secas
- *Kernel Season's Gourmet Popcorn Seasoning* (*www.kernelseasons.com*: ¡también excelente con pasta, verduras, pollo, patatas, huevos y pan de pita!)
- Pimentón
- Salsas, Tabasco o salsa de guindillas
- *Spray* de cocina de aceite de oliva antiadherente

aliños

- Aliños de ensalada marca Walden Farms (*www.waldenfarms.com*)
- Mostaza
- Rábano picante
- Salsa de soja clara
- Vinagre
- Zumo de lima
- Zumo de limón

edulcorantes

- *Equal*
- Productos de estevia (*Stevia rebaudiana*) de la marca SweetLeaf (*www.steviaplus.com*): ¡los favoritos de Jorge!
- *Splenda* (*www.splenda.com*)
- *Sweet and Low*

misceláneos

- Chicle sin azúcar
- Gelatina sin azúcar

Parte 3

El
Programa

Capítulo 5

Puesta en práctica del Plan de Jorge Cruise®

Tres niveles de desafío, un solo vientre plano

manos a la obra

¡Bienvenido/Bienvenida a tu programa *8 Minutos por la Mañana para un Vientre Plano*! Ahora es el momento de que comiences tu maravilloso proceso para conseguir tener un vientre precioso.

En las páginas siguientes, encontrarás tres programas distintos, que varían de dificultad desde suave a elevada.

Empieza por el Nivel 1, el más suave de los programas. Cada programa empieza en lunes y termina en domingo. Seguirás cada programa durante 3 semanas antes de pasar al siguiente nivel. En otras palabras, comenzarás el Nivel 1 un lunes y lo seguirás durante 21 días, volviendo a empezar cada lunes.

Después de 21 días, pasarás al Nivel 2. Después de 21 días más, avanzarás al Nivel 3.

Si ya estás bastante en forma, el Nivel 1 es posible que te resulte demasiado fácil. Si no sientes que los ejercicios te estimulen, pasa al Nivel 2 después de tan sólo 1 semana.

un formato en dos pasos

Cada día de cada nivel sigue el mismo formato sencillo. Cada día encontrarás:

Paso 1. 8 Minutos de Ejercicios Cruise

Paso 2. Una visualización de Comer Nutritivamente, *No* Emocionalmente

paso 1. 8 minutos de ejercicios cruise

Durante tus sesiones de lunes a viernes, encontrarás cuatro Ejercicios Cruise distintos. Tus sesiones de los lunes, miércoles y viernes se concentrarán en tu vientre. Tus sesiones del martes irán dirigidas al tren superior del cuerpo y las sesiones del jueves al tren inferior. Antes de tus Ejercicios Cruise, calienta trotando o marchando sobre el sitio (sin desplazamiento) durante 1 o 2 minutos. **Realiza cada Ejercicio Cruise durante 1 minuto y a continuación pasa al siguiente. Después de que hayas completado los cuatro ejercicios, repite cada ejercicio otra vez, lo que te dará un total de 8 minutos.** Luego enfría con los estiramientos sugeridos en la página siguiente.

Nota: Te tomarás libres de tus Ejercicios Cruise todos los fines de semana, pero no de generar músculo magro ni de dar pasos adicionales hacia tu meta. Cada sábado realizarás una depuración del organismo como se describe en el capítulo 4. Cada domingo medirás tus progresos pesándote y midiéndote la cintura.

las ventajas de tus "8 minutos"

Durante cada semana de tu proceso *8 Minutos por la Mañana para un Vientre Plano*:

• Sentirás que tus abdominales se tensan, endurecen y fortalecen.

• Perderás casi 1 kilo de grasa.

Tu Calentamiento y Enfriamiento

Antes de tus Ejercicios Cruise, te recomiendo que simplemente trotes sobre el sitio, sin desplazarte, durante 1 minuto para ayudar a incrementar tu temperatura corporal, de manera que estés flexible y suelto. Esto te ayudará a evitar lesiones. Después de tus Ejercicios Cruise, realiza los siguientes estiramientos para enfriar e incrementar tu flexibilidad.

Alcanzar el cielo con las manos. En pie bien erguido, alarga ambos manos hacia el cielo tan altas como puedas cómodamente. Siente cómo el estiramiento alarga tu columna vertebral, aportando mayor amplitud de movimiento a tus articulaciones. Respira profundamente por la nariz. Mantén el estiramiento entre 10 segundos y 1 minuto.

Estiramiento del corredor de vallas. Siéntate en el suelo sobre una toalla o colchoneta con las piernas extendidas al frente. Manteniendo recta la espalda, flexiona suavemente el tronco a partir de las caderas y alarga los brazos hacia los dedos de los pies hasta donde puedas. Si es posible, tira de los dedos de los pies ligeramente hacia el tronco. De nuevo, no te preocupes si este estiramiento te resulta ahora difícil: hazlo lo mejor que puedas. ¡Con el tiempo lo conseguirás! Mantén el estiramiento entre 10 segundos y 1 minuto.

Estiramiento de la cobra. Échate boca abajo sobre una toalla o colchoneta con las palmas planas en el suelo junto a los hombros y las piernas separadas entre sí algo menos que la anchura de los hombros. Los pies deben hallarse apoyados sobre los dorsos. Eleva el tronco separándolo del suelo, inspirando por la nariz durante la elevación. Presiona las caderas contra el suelo y extiende el tronco, mirando hacia arriba. Es probable que tengas que ir consiguiendo este estiramiento poco a poco, así que, de momento, hazlo lo mejor que puedas. Mantén el estiramiento entre 10 segundos y 1 minuto.

tu cuerpo actual
y futuras metas

Para encontrar tu peso ideal, localiza tu edad y altura en la tabla de abajo, seleccionando una cantidad que sea realista para ti. Resta esa cantidad de tu peso actual. Ésa es tu meta de adelgazamiento. Dado que perderás aproximadamente un kilo por semana, esa cantidad coincidirá con el número de semanas que tardarás en alcanzar tu meta. Consulta un calendario y encuentra la fecha en que conseguirás alcanzar tu peso perseguido.

Por favor, toma nota de tus respuestas a las siguientes preguntas:

tu cuerpo actual

1. ¿Cuál es tu peso actual? _____
2. ¿Cuál es tu actual circunferencia de cintura en centímetros? _____

tu cuerpo futuro

1. ¿Cuál es tu peso perseguido? _____
2. ¿Cuál es tu circunferencia de cintura perseguida en centímetros? _____
3. Fecha en que alcanzaré mi meta: _____
4. Enumera otras metas: _____

tu tabla de pesos

Altura (cm)	Peso (kg)		Altura (cm)	Peso (kg)	
	19-34 años	*+ 35 años*		*19-34 años*	*+ 35 años*
152	44-58	49-62	172	56-74	62-80
154	45-59	50-64	174	58-76	64-82
156	46-61	51-66	176	59-77	65-84
158	47-62	52-67	178	60-79	67-86
160	49-64	54-69	180	62-81	68-87
162	50-66	55-71	182	63-83	70-89
164	51-67	57-73	184	64-85	71-91
166	52-69	58-74	186	66-86	73-93
168	54-71	59-76	188	67-88	74-95
170	55-72	61-78	190	69-90	76-97

FUENTE: Departamento de Salud y Servicios Humanos de los EE.UU., Pautas alimenticias para los Estadounidenses (adaptado)

paso 2. come nutritivamente, *no* emocionalmente

Cada mañana te ofreceré una potente visualización para ayudarte a vencer la alimentación emocional y mantenerte motivado. Tu mente puede llevar a tu cuerpo a realizar cosas sorprendentes. Los estudios han demostrado lo potente que es la conexión mente-cuerpo. Por ejemplo, cuando los atletas se visualizan esprintando hasta la línea de meta y ganando la carrera, las fibras musculares de sus piernas pueden de verdad empezar a moverse como si realmente estuvieran corriendo. Cuando creas en tu mente una imagen de lo quieres conseguir, estás dando el primer paso crucial para convertir tus sueños en realidad. De hecho, visualizarte a ti mismo/a con un vientre precioso te ayudará a generar un vientre firme. Además, visualizarte realizando todas las tareas necesarias para generar un vientre precioso (como, por ejemplo, los Ejercicios Cruise), te ayudará a mantenerte concentrado y motivado. Finalmente, también puedes emplear el poder de la visualización como ayuda para superar emociones negativas que puedan inducirte a comer en exceso.

Durante tus visualizaciones, tienes que imaginar con todos tus sentidos: tacto, gusto, olfato, vista y oído. Cuantos más sentidos hagas intervenir en tus visualizaciones, más potentes serán tus imágenes y más eficaz el tiempo invertido en crearlas.

una reflexión poderosa

Además de tu visualización y de los Ejercicios Cruise, también te he proporcionado una reflexión poderosa para cada día de tu programa, pensada para ayudarte a potenciar al máximo tu éxito. Estas reflexiones te proporcionarán formas adicionales de optimizar la recuperación muscular, y también te servirán de ayuda inspiradora para atenerte al programa.

tus deberes

Antes de que emprendas tu nueva aventura, tendrás que asegurarte de tener los útiles necesarios para la empresa. Por favor, no empieces el programa hasta hacer lo siguiente:

1. Adquiere tu equipo. Necesitarás un balón medicinal y un balón de ejercicio grande lleno de aire (también llamado *gym ball* o balón de *fitness*). Se encuentran en la mayoría de las tiendas de deportes. Puedes usar un balón de baloncesto en vez del balón medicinal, pero los mejores resultados los obtendrás con un verdadero balón medicinal. En *www.jorgecruise.com/bellytools* encontrarás vínculos a algunas de las marcas de balones que yo personalmente recomiendo.

2. Lee los capítulos 1 a 4. Por favor, no empieces el programa sin leer primero cómo funciona y comprender la fórmula en que se fundamenta el proceso en dos pasos.

3. Adquiere los batidos de *Psyllium plantago* que tomarás los sábados por la mañana. En *www.jorgecruise.com/psyllium* encontrarás vínculos a algunas de las mejores marcas de batidos de *Psyllium plantago* que yo personalmente recomiendo.

4. Toma nota de tu peso y medidas actuales y tómate una foto del "antes". Tu peso y circunferencia de cintura iniciales, y la foto del "antes", no sólo te servirán de ayuda como potentes recordatorios de tu meta, sino que también te ayudarán a apreciar tus progresos. Para tomarte las medidas, usa una cinta métrica. Enróllala en torno a tu cintura, justo por encima de las crestas ilíacas. Escribe tus respuestas en el espacio indicado en la página anterior.

MIS FOTOS DEL "ANTES" Y EL "DESPUÉS"

Tus fotos del "antes" y el "después" te servirán como motivación para mantenerte concentrado en tu meta de pérdida de peso. Revisa esta página a diario para *evitar* la alimentación emocional. Tómate tu foto del "antes" ahora mismo y pégala en esta página. ¡Pero no esperes a ver tu cuerpo futuro! Ve a *www.jorgecruise.com/futurebody* e imprime tu foto del "después" ahora mismo. Fotocopia esta página para cada día del programa y úsala para mantenerte organizado.

Foto del "antes" (vista frontal)   Foto del "después" (vista frontal)

Instrucciones para el empleo del planificador: haz siete copias para cada semana; apílalas y grápalas en la esquina superior izquierda; manténlas contigo en todo momento.

PLANIFICADOR PARA UN VIENTRE PLANO DE
JORGE CRUISE®

Fecha _____

Paso 1: ejercicios en 8 Minutos®

Rutina de generación muscular:

Lunes: Jornada para el vientre
Martes: Tren superior del cuerpo
Miércoles: Jornada para el vientre
Jueves: Tren inferior del cuerpo
Viernes: Jornada para el vientre
Sábado: Depuración del organismo
Domingo: Día libre

	Serie 1	Serie 2
Ejercicio 1:		
Ejercicio 2:		
Ejercicio 3:		
Ejercicio 4:		

En cada celda de "Ejercicio", escribe el Ejercicio Cruise® y a continuación, en las celdas de la "Serie 1" y la "Serie 2", toma nota del número de repeticiones realizadas o del tiempo que mantienes la posición.

Paso 2: Come Nutritivamente, *No* Emocionalmente®

Material de generación muscular:

Verduras: ensalada, verduras al vapor o 1 fruta
Grasas: 1 cucharadita de aceite de lino u oliva,
   o mantequilla
Hidratos de carbono: ½ taza de cereales
   o 1 rebanada de pan
Proteínas: 25 g de Pescado/Pollo/Carne/Queso,
   3 Claras de Huevo, ½ taza de Legumbres,
   o 1 vaso de Leche descremada al 1%
Refrigerios y meriendas: artículo de 100 calorías
"Capricho": artículo de 30 a 50 calorías

Cada casilla equivale a un ejemplo de los arriba mencionados. Come cada 3 horas y deja de comer 3 horas antes de acostarte.

Agua (✔): vaso normal, de 250 c.c.

Desayuno
Verduras/Fruta _____
Grasas _____
Hidratos de C _____
Proteínas _____

Refrigerio

Almuerzo
Verduras/Fruta _____
Grasas _____
Hidratos de C _____
Proteínas _____

Merienda

Cena
Verduras/Fruta _____
Grasas _____
Hidratos de C _____
Proteínas _____
"Capricho" _____

www.jorgecruise.com

Nivel 1
Lunes

reflexión poderosa de jorge

Muchas personas me preguntan si pueden saltarse los estiramientos finales. Me dicen que los estiramientos no les ayudarán a generar un vientre precioso, así que ¿por qué molestarse? Bueno, sencillamente, eso no es cierto. Los estiramientos te ayudan a lograr tu meta de diversas maneras. La más importante: los estiramientos sirven para incrementar la *flexibilidad*, que, a su vez, ayuda a tus músculos a fortalecerse. ¡Sí, es cierto! Los investigadores han descubierto que los músculos flexibles tienden a ser más fuertes y aeróbicos que los músculos tensos. **Los estiramientos también te ayudarán a elongar tus músculos, dando lugar a que tengan un aspecto largo y magro.** Finalmente, mejoran la circulación sanguínea en tus músculos, permitiéndoles recuperarse con mayor rapidez de tus Ejercicios Cruise. Por eso, después de cada sesión de 8 minutos, esfuérzate al máximo a fin de encontrar un hueco para mis tres estiramientos finales.

"Con visualización, consigues lo que ves. Visualizar tu futuro te ayuda a convertir en realidad tus resultados."

Ejercicios en 8 minutos®
jornada para el vientre

EJERCICIO 1: hundimiento abdominal en posición de sentado
músculo transverso del abdomen

a. Siéntate en una silla sólida y resistente, con los pies bien plantados en el suelo. Al espirar, "hunde" el ombligo, traccionándolo hacia la columna vertebral tanto como puedas y contrayendo el abdomen para expulsar todo el aire de los pulmones. Mantén la contracción entre 1 y 3 segundos.

b. Inspira mientras inviertes el ejercicio, esta vez redondeando el vientre lo más posible. Continúa espirando e inspirando lentamente durante 1 minuto, y a continuación pasa al Ejercicio 2.

a

b

TABLA DE 8 MINUTOS				
ejercicio	ejercicio 1	ejercicio 2	ejercicio 3	ejercicio 4
series				
repeticiones				

EJERCICIO 2: flexiones cruzadas en posición de sentado
tramo superior del músculo recto del abdomen

a. Sigue sentado con los pies bien plantados en el suelo. Siéntate erguido con la columna bien alargada. Flexiona los brazos a 90 grados, colocando los codos alineados con el tórax, los antebrazos perpendiculares al suelo y los dedos de las manos dirigidos hacia el techo.

b. Espira mientras aproximas entre sí el codo izquierdo y la rodilla derecha. Inspira mientras vuelves con el codo y la rodilla a la posición de partida. Repite con el codo derecho y la rodilla izquierda, alternando entre estas posiciones durante 1 minuto. Transcurrido el minuto, pasa al Ejercicio 3, de la pág. 88.

a

b

secuencia de ejercicios

1. calentamiento Trota o marcha sobre el sitio, sin desplazamiento, durante 1 minuto.

2. ejercicios cruise Realiza una repetición de 60 segundos de cada uno de los 4 Ejercicios Cruise. Al repetir este ciclo, habrás terminado en 8 minutos.

3. enfriamiento Después de tus Ejercicios Cruise, realiza estos estiramientos (ver pág. 79).

Alcanzar el cielo con las manos

Estiramiento del corredor de vallas

Estiramiento de la cobra

jornada para el vientre (cont.)

EJERCICIO 3: rotación de tronco en posición de sentado
músculos oblicuos del abdomen

a. Sigue sentado con los pies bien plantados en el suelo. Siéntate erguido con la columna bien alargada. Sostén tu balón medicinal (o una bolsa de harina) a la altura del pecho, con los brazos extendidos.

b. Continúa bien erguido mientras, espirando, giras hacia la derecha. Mantén la cabeza y el cuello alineados con el tronco al realizar la torsión, de manera que siempre estés mirando el balón. Trata de no inclinarte hacia delante. Inspira mientras vuelves a la posición de partida, y a continuación repite por el otro lado. Sigue durante 1 minuto, y pasa luego al Ejercicio 4.

a

b

come nutritivamente, *no* emocionalmente®
visualización

Para asegurarte de comer "nutritivamente" y no "emocionalmente", puedes usar una potente técnica psicofísica llamada visualización, que te servirá para mantenerte emocionalmente fuerte y con capacidad para mantener el esfuerzo. Con demasiada frecuencia, utilizamos el poder de la visualización algo inconscientemente, de manera negativa. Nos concentramos en ideas negativas sobre la vida que para lo único que valen es para que consigamos hacer realidad esa visión negativa. Así que hoy y durante el resto de tus ejercicios de Nivel 1, vamos a hacer lo contrario. Te concentrarás en el precioso vientre que quieres generar, usando el poder de la visualización como ayuda para convertir tu meta en realidad.

EJERCICIO 4: la silla del capitán
tramo inferior del músculo recto del abdomen

a. Sigue sentado con los pies bien plantados en el suelo. Siéntate erguido con la columna bien alargada. Agárrate del borde del asiento con las manos a cada lado de las caderas. Empuja la silla con las palmas de las manos, para mejorar la estabilidad del tronco.

b. Espira mientras elevas lentamente las rodillas hacia el tórax, tratando al hacerlo de no arquear la parte inferior de la espalda. Mantén la elevación entre 1 y 3 segundos y, a continuación, desciende lentamente mientras inspiras. Repite durante 1 minuto, y luego vuelve al Ejercicio 1 de la pág. 86. Repite los Ejercicios 1-4 una vez más, y habrás terminado.

a

b

visualiza tu precioso vientre

Realiza el siguiente ejercicio de visualización conmigo durante tan sólo unos minutos. Cierra los ojos y realiza unas cuantas respiraciones relajantes: inspira por la nariz y espira por la boca. Sonríe y da conmigo un salto mental al futuro. Visualiza el día en que consigas tu meta.

Obsérvate a ti mismo/a saltando de la cama y realizando tus Ejercicios Cruise. Después, planificando tu jornada. Mientras lo haces, notas tu vientre. ¿Qué aspecto tiene? Toca tu vientre con las manos. ¿Qué te parece tener un vientre plano?

Te vistes, eligiendo un vestido o una prenda que siempre quisieras llevar, pero que no podías por culpa de tu voluminoso vientre. Nota que ahora la ropa te queda holgada alrededor del vientre. Nota lo plano que parece tu vientre con esta ropa. Sonríe. ¡Has logrado tu meta!

Nivel 1
Martes

> "No mires nunca a donde vas. Mira siempre a donde quieres ir."
>
> —Bob Ernst

reflexión poderosa de jorge

Como te dije en el capítulo 4, tienes que dormir lo suficiente para permitir a tus músculos que se recuperen. ¿Sabías que un sueño reparador puede también agudizar tu mente y mejorar tu humor? Pues es cierto: simplemente "pegar el ojo" lo suficiente facilita la concentración e incluso mejora tu capacidad de aprendizaje. Se debe a que cuanto más duermas, más minutos pasa el cerebro en la fase REM del sueño (REM son las siglas inglesas de "movimientos rápidos con los ojos"). Y es que el sueño REM es crucial para consolidar nueva información en la memoria a largo y corto plazo. Las investigaciones sugieren que es durante el sueño REM cuando archivamos todo lo que aprendemos. Así pues, prométeme que esta noche te irás a la cama a una hora razonable.

"Cuantos más sentidos emplees, más eficaz será tu visualización. Ve, oye, huele, siente, toca y saborea tu futuro."

Ejercicios en 8 minutos®
jornada para el tren superior del cuerpo

EJERCICIO 1: flexiones de brazos contra la pared
pecho

a. Sitúate de pie ante una pared, separado de ella la longitud de tus brazos, con los pies en la vertical de las caderas. Inclínate hacia delante y apoya las manos en la pared, con los dedos dirigidos hacia arriba. Los brazos deben hallarse completamente extendidos con tan sólo una ligera flexión en los codos.

b. Inspira mientras flexionas lentamente los codos, acercando el pecho y el torso a la pared. Mantén en todo momento firmes los abdominales y la espalda totalmente alargada y recta. Espira mientras, haciendo presión, vuelves a la posición de partida, estirando los brazos al hacerlo. Repite durante 1 minuto y a continuación pasa al Ejercicio 2.

a

b

TABLA DE 8 MINUTOS				
ejercicio	ejercicio 1	ejercicio 2	ejercicio 3	ejercicio 4
series				
repeticiones				

EJERCICIO 2: brazos de sonámbulo
hombros

a. Colócate de pie, con los pies en la vertical de las caderas, los abdominales firmes y la espalda alargada y recta. Espira mientras elevas los brazos delante del torso hasta la altura de los hombros. Asegúrate de mantener los hombros relajados y apartados de las orejas. Mantén la elevación durante 1 minuto mientras respiras normalmente, y a continuación pasa al Ejercicio 3 de la pág. 94.

a

secuencia de ejercicios

1. calentamiento Trota o marcha sobre el sitio, sin desplazamiento, durante 1 minuto.

2. ejercicios cruise Realiza una repetición de 60 segundos de cada uno de los 4 Ejercicios Cruise. Al repetir este ciclo, habrás terminado en 8 minutos.

3. enfriamiento Después de tus Ejercicios Cruise, realiza estos estiramientos (ver pág. 79).

Alcanzar el cielo con las manos

Estiramiento del corredor de vallas

Estiramiento de la cobra

jornada para el tren superior del cuerpo
(cont.)

EJERCICIO 3: mantener el levantamiento
bíceps

a. Siéntate a unos 60 cm de una mesa en una silla sólida y resistente (una sin ruedas), con los pies bien plantados en el suelo. Coloca las palmas de las manos bajo el tablero de la mesa con los codos flexionados aproximadamente a 90°. Empuja sobre la cara inferior de la mesa tanto como puedas. Mantén el levantamiento durante 1 minuto mientras respiras con normalidad, y a continuación pasa al Ejercicio 4.

a

come nutritivamente, *no* emocionalmente®
visualización

Para visualizar verdaderamente tu nuevo yo, tienes que sentirte relajado/a y en calma. Para poder concentrarte mejor en tu visualización, tu mente no debe hallarse sobrecargada de ideas ni tensiones. Si no te encuentras en un estado de relajación, puede que se presenten pensamientos negativos. Pero estar relajado hace posible que el mensaje te afecte más poderosamente. Así pues, antes de la visualización de hoy, quiero que te dirijas a una habitación tranquila de tu casa, pongas música suave y hagas lo que sea preciso para relajarte.

EJERCICIO 4: mantener la presión descendente

b. Sigue sentado frente a la mesa y coloca las palmas de las manos sobre el tablero con los codos flexionados unos 90° grados. Espira mientras presionas hacia abajo contra la mesa tan fuerte como puedas. Mantén la presión hasta 60 segundos, respirando normalmente. A continuación vuelve al Ejercicio 1 de la pág. 92. Repite los Ejercicios 1-4 una vez más, y habrás terminado.

b

ser consciente de los pequeños detalles

Hoy quiero que vuelvas a dar un salto mental al futuro y te visualices después de cumplir tu meta. Primero, concentra tu visualización en tu vientre. A continuación, toma conciencia de todo tu cuerpo. Observa lo duros y en forma que han llegado a estar tus brazos. Toma conciencia de tu piel radiante. Visualiza la caída de tu ropa y lo bien que se ajustan tus zapatos. Imagina los colores, texturas y diseños del vestido o traje favorito que llevarás puesto. ¿Qué aspecto tiene tu nuevo yo? ¿Llevas un nuevo corte de pelo, nuevo maquillaje, o nuevos complementos? Observa tu cuerpo realizando distintos movimientos. Obsérvate caminando, sentándote en el trabajo o conduciendo el coche. Intenta visualizar cada detalle. Para que se convierta en realidad, tienes que oler, oír, sentir y saborear tu visión.

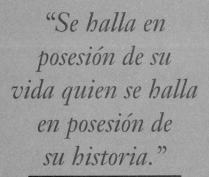

Nivel 1
Miércoles

"Se halla en posesión de su vida quien se halla en posesión de su historia."

—Carl Jung

reflexión poderosa de jorge

La vitamina C desempeña un papel muy importante en la recuperación muscular tras los Ejercicios Cruise. Esta valiosa vitamina ayuda a producir colágeno, que es un tejido conjuntivo que mantiene unidos los músculos, huesos y otros tejidos. Durante tus Ejercicios Cruise, mientras tu respiración se incrementa para cubrir las demandas de tu sesión, la interacción química de oxígeno con las membranas celulares, proteínas y otros componentes de tus células da lugar a unos elementos dañinos llamados radicales libres. Estos radicales libres son sustancias enormemente reactivas que, de manera muy parecida a pequeños incendios, deben apagarse antes de que quemen, u "oxiden", las moléculas de otras células vecinas, generando dolores musculares y rigidez. La vitamina C es un antioxidante alimenticio que ayuda a eliminar los daños de los radicales libres en las células y en torno a ellas. Por eso te aconsejo que tomes un suplemento de vitamina C a diario (lo ideal son 1.000 miligramos). Para conocer mis marcas favoritas, visita *www.jorgecruise.com/vitc*.

"Estoy muy orgulloso de ti por comprometerte a este proceso. Felicítate a ti mismo. Los primeros pasos suelen ser los más duros que darás en tu viaje hacia tu nuevo yo."

Ejercicios en 8 minutos®
jornada para el vientre

EJERCICIO 1: hundimiento abdominal en posición de sentado
músculo transverso del abdomen

a. Siéntate en una silla sólida y resistente, con los pies bien plantados en el suelo. Al espirar, "hunde" el ombligo, traccionándolo hacia la columna vertebral tanto como puedas y contrayendo el abdomen para expulsar todo el aire de los pulmones. Mantén la contracción entre 1 y 3 segundos.

b. Inspira mientras inviertes el ejercicio, esta vez redondeando el vientre lo más posible. Continúa espirando e inspirando lentamente durante 1 minuto, y a continuación pasa al Ejercicio 2.

a

b

TABLA DE 8 MINUTOS				
ejercicio	ejercicio 1	ejercicio 2	ejercicio 3	ejercicio 4
series				
repeticiones				

EJERCICIO 2: flexiones cruzadas en posición de sentado
tramo superior del músculo recto del abdomen

a. Sigue sentado con los pies bien plantados en el suelo. Siéntate erguido con la columna bien alargada. Flexiona los brazos a 90 grados, colocando los codos alineados con el tórax, los antebrazos perpendiculares al suelo y los dedos de las manos dirigidos hacia el techo.

b. Espira mientras aproximas entre sí el codo izquierdo y la rodilla derecha. Inspira mientras vuelves con el codo y la rodilla a la posición de partida. Repite con el codo derecho y la rodilla izquierda, alternando entre estas posiciones durante 1 minuto. Transcurrido el minuto, pasa al Ejercicio 3, de la pág. 100.

a

b

secuencia de ejercicios

1. calentamiento Trota o marcha sobre el sitio, sin desplazamiento, durante 1 minuto.

2. ejercicios cruise Realiza una repetición de 60 segundos de cada uno de los 4 Ejercicios Cruise. Al repetir este ciclo, habrás terminado en 8 minutos.

3. enfriamiento Después de tus Ejercicios Cruise, realiza estos estiramientos (ver pág. 79).

Alcanzar el cielo con las manos

Estiramiento del corredor de vallas

Estiramiento de la cobra

jornada para el vientre (cont.)

EJERCICIO 3: rotación de tronco en posición de sentado
músculos oblicuos del abdomen

a. Sigue sentado con los pies bien plantados en el suelo. Siéntate erguido con la columna bien alargada. Sostén tu balón medicinal a la altura del pecho, con los brazos extendidos.

b. Continúa bien erguido mientras, espirando, giras hacia la derecha. Mantén la cabeza y el cuello alineados con el tronco al realizar la torsión, de manera que siempre estés mirando el balón. Trata de no inclinarte hacia delante. Inspira mientras vuelves a la posición de partida, y a continuación repite por el otro lado. Sigue durante 1 minuto, y pasa luego al Ejercicio 4.

a

b

come nutritivamente, *no* emocionalmente®
visualización

Como hemos hecho durante los dos últimos días, hoy echaremos otra ojeada al futuro. Visualizarás un día posterior a haber alcanzado tu meta. ¡Hoy te estás preparando para una cita muy especial! Así que, antes de nada, relájate cerrando los ojos y realizando unas cuantas respiraciones profundas y relajantes, inspirando por la nariz y espirando por la boca. Deja que cada espiración te lleve a un estado de profunda relajación. Una vez que te sientas completamente relajado/a, estarás listo/a para empezar la visualización.

EJERCICIO 4: la silla del capitán
tramo inferior del músculo recto del abdomen

a. Sigue sentado con los pies bien plantados en el suelo. Siéntate erguido con la columna bien alargada. Agárrate del borde del asiento con las manos a cada lado de las caderas. Empuja la silla con las palmas de las manos, para mejorar la estabilidad del tronco.

b. Espira mientras elevas lentamente las rodillas hacia el tórax, tratando al hacerlo de no arquear la parte inferior de la espalda. Mantén la elevación entre 1 y 3 segundos y, a continuación, desciende lentamente mientras inspiras. Repite durante 1 minuto, y luego vuelve al Ejercicio 1 de la pág. 98. Repite los Ejercicios 1-4 una vez más, y habrás terminado.

a

b

tu primera cita

Contémplate a ti mismo/a preparándote para tu cita. ¿Quién será el afortunado o afortunada esa tarde/noche? ¿Cómo te preparas para tu cita? Obsérvate tomando un baño de espuma bien caliente con un vaso de agua mineral con gas o concediéndote el lujo de una limpieza de cutis. Luego, elige tu ropa. Encuentra un traje o un vestido que siempre te haya encantado, pero que te negabas a ponerte por culpa de tu vientre promi-

nente. Póntelo. ¡Observa lo plano que parece tu vientre con ese traje/vestido! Nota el tacto del tejido sobre tu piel tonificada. Mírate en el espejo y date una vuelta, y sonríe del aspecto tan delgado y saludable que tienes. Oyes el timbre. Abres la puerta y ves a la persona que esperas. La escuchas comentar lo guapo/a que estás. ¿Qué dice esa persona y cómo te hacen sentirte sus palabras?

Nivel 1
Jueves

reflexión poderosa de jorge

Necesitas proteínas para que te ayuden a generar músculo magro, y el pescado es una de las mejores fuentes de proteínas que existen. Además de proteínas de calidad, ciertos tipos de pescado graso de aguas frías contienen unas clases especiales de lípidos llamadas ácidos grasos omega-3. Estos lípidos especiales se ha demostrado que ayudan a reducir los dolores musculares después de una sesión de ejercicios. También ayudan a mejorar el humor, reducir el apetito y dar a la piel un radiante resplandor. ¿Qué clase de pescado tienes que comer? Te recomiendo que te decantes por el salmón. Esta clase de pescado es muy rico en ácidos grasos omega-3. Además, según la Agencia de Protección Medioambiental de los EE. UU., es menos probable que contenga contaminantes, como policlorodifenilos (PCB) o mercurio, lo que hace seguro el salmón para mujeres embarazadas y lactantes.

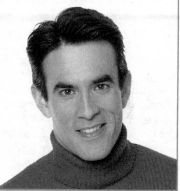

"Sé amable contigo mismo. Intenta acabar con esos pensamientos negativos que te dicen que no eres lo bastante bueno. Te mereces lo mejor."

Ejercicios en 8 minutos®
jornada para el tren inferior del cuerpo

EJERCICIO 1: *superman*
parte inferior de la espalda

a. Sitúate de pie frente a una silla sólida y resistente. Tu pie derecho debe hallarse en la vertical de la cadera derecha. Flexiona el tronco y coloca la palma de la mano derecha sobre el asiento de la silla, justo en la vertical del hombro derecho. Espira mientras elevas y extiendes la pierna izquierda hacia atrás y el brazo izquierdo hacia delante, formando una línea recta desde el pie hasta las puntas de los dedos. No bloquees ni el codo ni la rodilla. Mantén el estiramiento hasta 30 segundos, respirando normalmente, y a continuación repite por el otro lado. Deshaz la postura y pasa al Ejercicio 2.

a

TABLA DE 8 MINUTOS				
ejercicio	ejercicio 1	ejercicio 2	ejercicio 3	ejercicio 4
series				
repeticiones				

EJERCICIO 2: sentadillas
cuádriceps

a. Sitúate de pie, con los pies separados entre sí el ancho de las caderas. Colócate las manos en jarras. Comprueba tu postura. Asegúrate de que la espalda esté alargada y recta, los hombros relajados y apartados de las orejas, y los abdominales bien duros.

b. Inspira mientras flexionas las rodillas y realizas una sentadilla sin superar los 90 grados (acuclíllate sólo en la medida que sientas cómoda) y extendiendo los brazos al frente. Asegúrate de que las rodillas se mantengan en la vertical de los tobillos (no de los dedos de los pies). Mantén firmes los abdominales y recta la espalda. Espira mientras te elevas lentamente hasta la posición de partida, volviendo con las manos a las caderas. Repite durante 60 segundos, y a continuación pasa al Ejercicio 3 de la pág. 106.

a

b

secuencia de ejercicios

1. calentamiento Trota o marcha sobre el sitio, sin desplazamiento, durante 1 minuto.

2. ejercicios cruise Realiza una repetición de 60 segundos de cada uno de los 4 Ejercicios Cruise. Al repetir este ciclo, habrás terminado en 8 minutos.

3. enfriamiento Después de tus Ejercicios Cruise, realiza estos estiramientos (ver pág. 79).

Alcanzar el cielo con las manos

Estiramiento del corredor de vallas

Estiramiento de la cobra

jornada para el tren inferior del cuerpo (cont.)

EJERCICIO 3: flexiones posteriores de pierna
isquiotibiales

a. Colócate de pie frente a una pared, a unos 30 cm de distancia, con los pies en la vertical de las caderas. Apoya las manos en la pared para mantener el equilibrio. Comprueba tu postura. Asegúrate de que la espalda esté alargada y recta, los hombros relajados y apartados de las orejas, y los abdominales bien duros.

b. Espira mientras elevas el pie derecho hacia la nalga derecha. (Para incrementar la dificultad, utiliza tobilleras lastradas.) Detén la elevación al formar con la pierna un ángulo de 90 grados. Inspirando, desciende, y repite hasta 30 segundos. Cambia después a la pierna izquierda, y a continuación pasa al Ejercicio 4.

a

b

come nutritivamente, *no* emocionalmente®
visualización

Hoy es un magnífico día de verano. Luce el sol y sopla una cálida brisa. Es el día perfecto para irse a la playa con unos amigos/as durante un ejercicio de visualización muy sedante. Cierra los ojos y realiza unas cuantas respiraciones relajantes, inspirando por la nariz y espirando por la boca. Deja que cada espiración te lleve a un estado de profunda relajación. Cuando te hayas relajado por completo, estarás listo/a para empezar.

EJERCICIO 4: elevaciones sobre los antepiés
gemelos

a. Sigue de pie frente a la pared, con los pies en la vertical de las caderas y los brazos apoyados a los costados. Comprueba tu postura. Asegúrate de que la espalda esté alargada y recta, los hombros relajados y apartados de las orejas, y los abdominales bien duros. Coloca ambas manos en la pared para equilibrarte. Espira mientras te elevas sobre los antepiés, separando los talones del suelo. Inspira mientras desciendes. Repite durante 60 segundos, y a continuación vuelve al Ejercicio 1 de la pág. 104. Repite los Ejercicios 1-4 una vez más, y habrás terminado.

a

tu vientre en bañador

Has decidido pasar el día en la playa con unos amigos/as. No habías estado en la playa desde hace años, desde que tu vientre te hacía sentir demasiada vergüenza para llevar bañador. Pero ahora tienes un vientre precioso, así que enfúndate tu bañador y ponte el sombrero de paja de ala ancha. Cuando llegues, hunde tus pies en la arena caliente y deja escapar un profundo suspiro de placer. Mientras te quitas la ropa hasta quedarte en bañador y te tumbas sobre la toalla, te sientes seguro/a de ti mismo/a y bien guapo/a. Siente los cálidos rayos del sol sobre tu espalda. Uno de tus amigos o una de tus amigas comenta tu buen aspecto y tú contestas con un sentido "gracias" y le cuentas lo bien que te sientes. Pasas la tarde hablando intrascendentemente tumbado/a sobre la toalla y retozando con las olas.

Nivel 1
Viernes

"*Todo el mundo necesita y merece amor y felicidad. No esperemos hasta ser perfectos para salir a buscarlos.*"

—Pat A. Mitchell

reflexión poderosa de jorge

¿Has observado alguna vez a un niño comiendo? Toman un bocado, se retuercen mientras lo mastican y, por supuesto, juegan con su comida. Además, siempre dejan de comer en cuanto han comido suficiente. ¿Podemos extraer de ello alguna lección? ¡Por supuesto! Los niños prestan atención a los impulsos instintivos que les envía su cuerpo; por eso dejan de comer cuando están llenos. Si prestas mucha atención mientras comes, notarás que el placer que obtienes de la comida tiende a disminuir a medida que continúas comiendo. Esto es una señal de que tu cuerpo ha tenido suficiente, pero muchas personas comen tan rápido que no la perciben. *Invita a tu mesa al niño que llevas dentro.* Adelante, diviértete con la comida cuando nadie te esté mirando, y alárgala lo más posible. Haz unas vías del tren con el tenedor en el puré de patatas; cómete primero la costra del sándwich para darle una forma divertida. Tu comida será mucho más amena, y probablemente comas mucho menos.

"No lo olvides: tu cuerpo es el regalo más precioso que has recibido. Trátalo con el respeto que se merece."

Ejercicios en 8 minutos®
jornada para el vientre

EJERCICIO 1: hundimiento abdominal en posición de sentado
músculo transverso del abdomen

a. Siéntate en una silla sólida y resistente, con los pies bien plantados en el suelo. Al espirar, hunde el ombligo, traccionándolo hacia la columna vertebral tanto como puedas y contrayendo el abdomen para expulsar todo el aire de los pulmones. Mantén la contracción entre 1 y 3 segundos.

b. Inspira mientras inviertes el ejercicio, esta vez redondeando el vientre lo más posible. Continúa espirando e inspirando lentamente durante 1 minuto, y a continuación pasa al Ejercicio 2.

a

b

TABLA DE 8 MINUTOS				
ejercicio	ejercicio 1	ejercicio 2	ejercicio 3	ejercicio 4
series				
repeticiones				

EJERCICIO 2: flexiones cruzadas en posición de sentado
tramo superior del músculo recto del abdomen

a. Sigue sentado con los pies bien plantados en el suelo. Siéntate erguido con la columna bien alargada. Flexiona los brazos a 90 grados, colocando los codos alineados con el tórax, los antebrazos perpendiculares al suelo y los dedos de las manos dirigidos hacia el techo.

b. Espira mientras aproximas entre sí el codo izquierdo y la rodilla derecha. Inspira mientras vuelves con el codo y la rodilla a la posición de partida. Repite con el codo derecho y la rodilla izquierda, alternando entre estas posiciones durante 1 minuto. Transcurrido el minuto, pasa al Ejercicio 3, de la pág. 112.

a

b

secuencia de ejercicios

1. calentamiento Trota o marcha sobre el sitio, sin desplazamiento, durante 1 minuto.

2. ejercicios cruise Realiza una repetición de 60 segundos de cada uno de los 4 Ejercicios Cruise. Al repetir este ciclo, habrás terminado en 8 minutos.

3. enfriamiento Después de tus Ejercicios Cruise, realiza estos estiramientos (ver pág. 79).

Alcanzar el cielo con las manos

Estiramiento del corredor de vallas

Estiramiento de la cobra

jornada para el vientre (cont.)

EJERCICIO 3: rotación de tronco en posición de sentado
músculos oblicuos del abdomen

a. Sigue sentado con los pies bien plantados en el suelo. Siéntate erguido con la columna bien alargada. Sostén tu balón medicinal a la altura del pecho, con los brazos extendidos.

b. Continúa bien erguido mientras, espirando, giras hacia la derecha. Mantén la cabeza y el cuello alineados con el tronco al realizar la torsión, de manera que siempre estés mirando el balón. Trata de no inclinarte hacia delante. Inspira mientras vuelves a la posición de partida, y a continuación repite por el otro lado. Sigue durante 1 minuto, y pasa luego al Ejercicio 4.

a

b

come nutritivamente, *no* emocionalmente®
visualización

Hoy nutriremos tu motivación interna con un ejercicio de visualización muy especial. Durante la visualización de hoy, te reunirás con un viejo amigo o amiga que no te haya visto en muchos años. Así pues, cierra los ojos y realiza unas cuantas respiraciones relajantes, inspirando por la nariz y espirando por la boca. Deja que cada espiración te lleve a un estado de profunda relajación. Una vez que te sientas completamente relajado/a, estarás listo/a para empezar la visualización.

EJERCICIO 4: la silla del capitán
tramo inferior del músculo recto del abdomen

a. Sigue sentado con los pies bien plantados en el suelo. Siéntate erguido con la columna bien alargada. Agárrate del borde del asiento con las manos a cada lado de las caderas. Empuja la silla con las palmas de las manos, para mejorar la estabilidad del tronco.

b. Espira mientras elevas lentamente las rodillas hacia el tórax, tratando al hacerlo de no arquear la parte inferior de la espalda. Mantén la elevación entre 1 y 3 segundos y, a continuación, desciende lentamente mientras inspiras. Repite durante 1 minuto, y luego vuelve al Ejercicio 1 de la pág. 110. Repite los Ejercicios 1-4 una vez más, y habrás terminado.

a
b

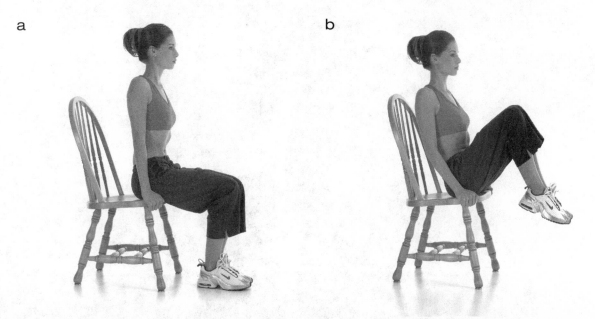

volver a ver a un/a viejo/a amigo/a

Contémplate a ti mismo/a entrando con el coche al aparcamiento del aeropuerto para recoger a un/a amigo/a. Mírate en el espejo retrovisor: ¡hacía años que no parecías tan saludable, tan alegre y tan joven! Rápidamente te diriges a las escaleras y las subes de dos en dos. Siente lo fuerte que parece tu cuerpo mientras subes deprisa cada tramo de escaleras. ¿No es maravilloso poder mo-verse con rapidez sin quedarse sin aliento? Llegas a la puerta justo a tiempo de ver a tu amigo/a acercándose. Él o ella te sonríe educadamente, dice: "Disculpe", y te roza al pasar junto a ti. ¡No te ha reconocido! Lo/La llamas por su nombre y le dices: "¡Soy yo!". Tu amigo/a se da la vuelta, atónito/a, y dice: "¡Estás increíble! ¿Qué has hecho?". Tú sonríes radiante.

Nivel 1
Sábado

"Las cosas les salen mejor a quienes sacan el mejor partido del modo en que salen las cosas."

—Daniel Considine

reflexión poderosa de jorge

Una de las mejores maneras de mimarte es con un masaje. Ya sea pagando a un profesional o recibiendo un masaje de algún ser querido, tiene el mismo efecto. Los movimientos del masaje ayudan a incrementar la circulación en tus músculos, así como a deshacer contracturas o puntos tensos, lo cual ayuda a tus músculos a recuperarse de los Ejercicios Cruise y previene los dolores y agujetas. Pero el masaje sirve para muchas más cosas. Recientes investigaciones han demostrado que nuestro metabolismo mejora cuando recibimos un masaje. Así pues, mientras te relajas en la camilla, ¡quemarás algunas calorías extras sin mover un dedo! Además, no hay nada como la sensación de un cálido contacto para relajarte y liberar todas tus preocupaciones. De hecho, los masajes regulares son buenos para el cuerpo, la mente y el alma. Date hoy el gustazo. ¡Te lo mereces!

"Hoy haremos un poco de limpieza general. Depurarás tu cuerpo, tu mente y tu alma."

depuración del organismo
día libre de ejercicios cruise

Hoy es tu día libre de los Ejercicios Cruise, pero no un día libre del programa. Usa el día de hoy para mimarte por dentro y por fuera. Invierte algo de tiempo en relajarte, tanto mental como corporalmente. Lee esa novela que has estado posponiendo. Pasa algo de tiempo en el parque, escribiendo en el diario que te ofrezco en la página siguiente. ¡O échate la siesta por la tarde! Éste es tu día para descansar, relajarte y rejuvenecer, tu día para limpiar completamente tu organismo.

Para depurar tu organismo, sigue mi plan en tres pasos:

1. Bébete tu batido de *Psyllium plantago* para desayunar. El batido reemplaza al desayuno. No tomes nada para desayunar aparte del batido. (Para conocer algunas de mis marcas favoritas de batidos de psyllium, visita *www.jorgecruise.com/psyllium*.)

2. En el almuerzo y la cena elige como raciones de proteína opciones *no cárnicas*. Consulta el capítulo extra de la pág. 199 para encontrar ejemplos de comidas proteínicas vegetales.

3. Bebe ocho vasos de agua de 500 c.c. (o dieciséis de 250 c.c.), doblando tu ingesta normal de agua.

come nutritivamente, *no emocionalmente*®
visualización

Es hora de ataviarte con tu mejor ropa, porque ¡esta noche vas a brillar en un acontecimiento social muy elegante y formal! Vas a llevar ese vestido/traje negro, el que guardaste en la parte de atrás de tu armario para cuando tuvieras un cuerpo que lucir. Así pues, cierra los ojos y realiza unas cuantas respiraciones relajantes, inspirando por la nariz y espirando por la boca. Deja que cada espiración te lleve a un estado de profunda relajación. Una vez que te sientas completamente relajado/a, estarás listo/a para empezar la visualización.

diario _____   _____
_____   _____
_____   _____
_____   _____
_____   _____
_____   _____
_____   _____
_____   _____
_____   _____
_____   _____
_____   _____
_____   _____
_____   _____
_____   _____
_____   _____
_____   _____
_____   _____
_____

el vestidito/traje negro

Contémplate a ti mismo/a preparándote para esa ocasión especial. Observa el vestido/traje negro colgando en tu armario. Sácalo del armario y colócatelo delante del cuerpo. Siente tu excitación ante la perspectiva de llevarlo por fin. Deja el vestido/traje sobre tu cama y aprecia cada uno de sus detalles. Recuerda la última vez que lo llevaste. ¿Cuánto hace de eso? Luego póntelo. Siente la caída uniforme del tejido de seda sobre tu cuerpo. Ponte los zapatos y mírate en el espejo. Observa tu vientre, cómo no sobresale nada. A continuación, avanza en tu película mental rápidamente hasta el gran acontecimiento. Obsérvate en el salón de baile. Siente todas las miradas posadas en ti. Tienes confianza en ti mismo/a y estás fabuloso/a. ¡Baila toda la noche y disfruta!

Nivel 1
Domingo

> *"Con energía y perseverancia, se conquistan todas las cosas."*
>
> —**Benjamin Franklin**

reflexión poderosa de jorge

Estoy seguro de que has notado que te sientes mucho mejor durante todo el día después de hacer tus Ejercicios Cruise por la mañana. Y eso no es nada. Psicólogos y fisiólogos del ejercicio han descubierto que el ejercicio en realidad puede funcionar tan bien como los medicamentos para tratar la depresión. Un estudio llevado a cabo en la Universidad Duke, de Durham (Carolina del Norte), comprobó recientemente esta teoría. Reclutaron a 156 hombres y mujeres de más de 50 años de edad que padecían depresión. Un grupo caminó o hizo *jogging* durante 30 minutos 3 días a la semana, mientras otro grupo tomaba un antidepresivo. Al cabo de 4 meses, ambos grupos habían mejorado espectacularmente. Cuando los investigadores volvieron a hacer un control 6 meses después, para ver cómo les iba a esas personas por sí solas, el 38 por ciento del grupo que había tomado el antidepresivo había vuelto a caer en la depresión, pero sólo el 8 por ciento del grupo que había hecho ejercicio sufrió una vuelta de sus síntomas.

"Incluso Dios descansó el séptimo día. No te sientas culpable. El descanso te ayudará a fortalecerte."

capta tus progresos
día libre de ejercicios cruise

Hoy es tu día libre. Tómate un momento para saborear tus progresos. Coge un bolígrafo y responde a las siguientes preguntas. Luego comparte las respuestas conmigo enviándome un mensaje de correo electrónico a *flatbelly1@jorgecruise.com*.

1. ¿Cuál es tu peso actual?

_____

2. ¿Cuál era tu peso antes de empezar?

_____

3. ¿Cuál es tu circunferencia de cintura en centímetros?

_____

4. ¿Cuál era tu circunferencia de cintura al empezar?

_____

5. ¿Qué has hecho bien esta semana? ¿De qué te sientes más orgulloso?

_____

_____

_____

_____

_____

6. ¿Qué podrías mejorar la próxima semana?

_____

_____

_____

_____

_____

come nutritivamente, *no* emocionalmente®
visualización

Hoy harás un viaje de vuelta a tu instituto de educación secundaria, a ver a todos los compañeros de instituto que no has visto en años. Es el momento de la reunión de antiguos alumnos del instituto y te mueres de ganas de lucir tu nuevo y precioso vientre para que todos lo vean. Así pues, cierra los ojos y realiza unas cuantas respiraciones relajantes, inspirando por la nariz y espirando por la boca. Deja que cada espiración te lleve a un estado de profunda relajación. Una vez que te sientas completamente relajado/a, estarás listo/a para empezar la visualización.

el vientre de sharon lawson ¡perdió más de 10 centímetros!

"Este programa es tan fácil... No soy una persona de gimnasio y me cuesta motivarme para hacer cualquier ejercicio por la tarde o la noche. Levantarse por la mañana sólo unos minutos antes de lo normal para tonificar mi vientre (una zona mía con especiales necesidades) y ver resultados en tan sólo unas semanas es una verdadera motivación. ¡Los centímetros que he perdido han sido en todos los sitios justos!

"Mis resultados me han cambiado la vida. Tengo mayor control sobre mis hábitos alimentarios y sobre la silueta y dimensiones de mi cuerpo. Ahora sé que, si sigo algunos pasos básicos, puedo adelgazar, y lo que es más importante, mantenerme en mi peso a largo plazo. He mantenido mi peso estable durante 6 meses. Me encanta ir a comprar ropa y siento que realmente tengo un aspecto estupendo cuando salgo de casa. Ahora elijo vestidos ceñidos en vez de los holgados, ¡porque puedo lucir mi vientre plano!"

A sus 53 años de edad, ¡Sharon cambió sus pantalones de talla 42 por una 38!

tu reunión

Estás emocionado/a de lucir el yo en que te has convertido: ¡lo delgado, saludable y alegre que estás! Es hora de vestirte. Imagina lo que llevas puesto, los zapatos en que enfundas tus pies, las joyas que llevas puestas, el estilo de tu peinado, el maquillaje/*after-shave* que te aplicas, y cómo te sientes cuando te miras en el espejo.

¡Estás guapísima/o y te sientes fabulosa/o!

A medida que te acercas a la entrada a la reunión, respiras profundamente y luego, llena/o de confianza en ti misma/o, entras majestuosamente en la sala. ¿A quién ves del instituto y qué te dice? Escucha los elogios que te dedican y sus "oh" y "ah". Cuén-

tales a tus compañeros/as de clase lo magníficamente bien que te sientes. Más adelante, aquella misma noche, se saca una foto de la promoción. Obsérvate a ti misma/o, de pie, alta/o, delgada/o y llena/o de confianza en ti misma/o entre tus compañeros/as de instituto.

Nivel 2
Lunes

"Siempre hay espacio para la mejora; ¿sabías que es el espacio más grande de la casa?"

—**Louise Heath Leber**

reflexión poderosa de jorge

¿Todavía sales a rastras de la cama cada mañana y realizas parsimoniosamente tus Ejercicios Cruise? ¡He aquí un modo de poner en marcha tu motivación para moverte! En cuanto abras los ojos, da una fuerte palmada. Sigue aplaudiendo con cada respiración mientras te sientas y sales de la cama. Da cada palmada más fuerte que la anterior. ¿Por qué funciona este sistema? Las palmas de las manos poseen más receptores nerviosos que casi cualquier otra parte del cuerpo. Dando palmadas provocarás una sacudida neurológica que estimulará el cerebro y te hará sentir vivo y lleno de energía. Sigue con unas cuantas respiraciones profundas, vigorizantes. Y a continuación, ve trotando hasta el cuarto de baño para cepillarte los dientes. Correr suavemente incrementará aún más la tasa de oxígeno de tu organismo, provocando que tu corazón bombee más sangre. Cuando te pongas en posición para tus Ejercicios Cruise, ¡ya estarás completamente despierto y listo para "comerte" el día!

"¡Ya has recorrido un largo camino! Date a ti mismo una buena palmada en la espalda. Te la mereces."

Ejercicios en 8 minutos®
jornada para el vientre

EJERCICIO 1: hundimiento abdominal de rodillas
músculo transverso del abdomen

a. Arrodíllate en el suelo a cuatro patas, con las manos en la vertical de los hombros y las rodillas en la vertical de las caderas. Comprueba que la columna vertebral se halle en una posición neutra.

a

b. Espira mientras traccionas el ombligo hacia la columna y contraes los músculos abdominales. Mete el ombligo lo más que puedas. Mantén la contracción durante 1 a 3 segundos, y a continuación espira expandiendo el vientre tanto como te sea posible. Sigue alternando lentamente entre ambas posiciones durante 1 minuto, y luego pasa al Ejercicio 2.

b

TABLA DE 8 MINUTOS				
ejercicio	ejercicio 1	ejercicio 2	ejercicio 3	ejercicio 4
series				
repeticiones				

EJERCICIO 2: la plancha
músculo recto del abdomen

a. Échate boca abajo, con las piernas extendidas. Flexiona los brazos y apoya los antebrazos en el suelo, con los codos en la vertical de los hombros.

a

b. Espira mientras elevas el torso hasta una posición modificada de un típico fondo de brazos. Sólo se hallan en contacto con el suelo los antepiés, las manos y los antebrazos. Trata de formar una línea recta desde los talones hasta la cabeza, usando la fuerza del vientre para evitar que las caderas se comben hacia el suelo. Respira normalmente mientras mantienes esta posición. Con el tiempo conviene que mantengas la posición durante 1 minuto, pero al principio es posible que sólo seas capaz de hacerlo 10 segundos. Manténla todo el tiempo que puedas, y a continuación pasa al Ejercicio 3 de la pág. 126.

b

secuencia de ejercicios

1. calentamiento Trota o marcha sobre el sitio, sin desplazamiento, durante 1 minuto.

2. ejercicios cruise Realiza una repetición de 60 segundos de cada uno de los 4 Ejercicios Cruise. Al repetir este ciclo, habrás terminado en 8 minutos.

3. enfriamiento Después de tus Ejercicios Cruise, realiza estos estiramientos (ver pág. 79).

| Alcanzar el cielo con las manos | Estiramiento del corredor de vallas | Estiramiento de la cobra |

jornada para el vientre (cont.)

EJERCICIO 3: la plancha lateral
músculos oblicuos del abdomen

a. Échate sobre el costado izquierdo, con las piernas extendidas y el brazo derecho apoyado en el muslo del mismo lado. Incorpora el tronco apoyando en el suelo el antebrazo izquierdo.

b. Espira mientras separas las caderas del suelo y, simultáneamente, equilibras el peso corporal sobre el antebrazo izquierdo y el borde externo del pie izquierdo. Mantén la elevación durante 30 segundos, respirando normalmente. Cambia de lado y repite. Pasa luego al Ejercicio 4.

a

b

come nutritivamente, *no* emocionalmente®
visualización

Para tus visualizaciones del Nivel 2, utilizarás la energía de la conexión mente-cuerpo a fin de estimular tu motivación para completar tus Ejercicios Cruise y atenerte a tu Plato Combinado Cruise y otros hábitos saludables. Durante la visualización de hoy, te imaginarás una jornada entera de tus opciones alimentarias saludables favoritas. Así pues, cierra los ojos y realiza unas cuantas respiraciones profundas y relajantes, inspirando por la nariz y espirando por la boca. Deja que cada espiración te lleve a un estado de profunda relajación. Una vez que te sientas completamente relajado/a, estarás listo/a para empezar la visualización.

EJERCICIO 4: elevaciones de piernas
tramo inferior del músculo recto del abdomen

a. Échate boca arriba con las rodillas flexionadas y los pies bien plantados en el suelo. Apoya los brazos a los lados con las palmas vueltas hacia el suelo.

b. Espira y tensa el abdomen mientras elevas y extiendes ambas piernas, creando un ángulo de 45 grados entre las piernas y el suelo. No permitas que se arquee la parte inferior de la espalda, separándose del suelo. Sigue respirando normalmente mientras mantienes la elevación durante 5 segundos. Baja las piernas hasta el suelo, descansa durante 2 segundos y luego repite. Alterna entre repetición y descanso durante 1 minuto, y a continuación vuelve al Ejercicio 1 de la pág. 124. Repite los Ejercicios 1-4 una vez más, y habrás terminado.

a

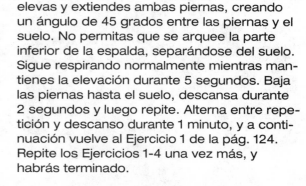

b

visualizar alimentos saludables

Te diriges a la cocina para prepararte un desayuno saludable. ¿Llenarás tu Plato Combinado Cruise con claras de huevo revueltas, una tostada de trigo integral con una cucharadita de aceite de lino, y una naranja? Tres horas más tarde, es hora de un refrigerio. ¿Te tomarás un yogur? ¿Y para almorzar? ¿Te reunirás con un amigo/a para tomar sushi y una sopa? Tres horas más tarde, es hora de merendar. ¿Qué va a ser? ¿Quizá una tarrina de budín? Tres horas después, tienes una cita para cenar. Decide qué verduras llenarán tu plato. ¿Qué más tomarás? Y luego tienes un premio especial, posiblemente un bomboncito o chocolatina. Imagínate comiendo y disfrutando de cada comida. ¡Recuerda que tu meta es comer para generar nuevos músculos magros que quemen esa grasa del vientre!

Nivel 2
Martes

reflexión poderosa de jorge

El agua es muy importante para que tengas éxito en tu empresa. Tu organismo está constituido por agua en un 75 por ciento. Tu cuerpo necesita agua para conseguir que la fluidez de la sangre sea suficiente. Cuando te deshidratas, aumenta la viscosidad de la sangre, dificultándole a tu corazón bombearla por todo el cuerpo, lo que incrementa el ritmo cardíaco, haciéndote sentir muy cansado durante movimientos tan sencillos como los Ejercicios Cruise. Pero peor aún: tu cerebro no puede distinguir entre deshidratación e inanición, y responde ante ambos emitiendo señales de hambre. Esto significa que, aunque tu organismo no tenga necesidad de comida, te sentirás fatigado, intranquilo y hambriento, cuando todo lo que en realidad necesitas es un vaso bien grande de agua. ¿Que cuál es mi marca de agua favorita? Recomiendo agua Penta®, que es mejor absorbida por las células debido a su singular pentámero (cinco moléculas de H_2O), la estructura de agua más pequeña, lo cual

"Todo lo bueno que hagas por tu cuerpo te ayudará a alcanzar más rápidamente tu meta."

proporciona *más* oxígeno y nutrientes a las células mientras también las limpia más rápidamente de productos de desecho, con el resultado de unas células más sanas y llenas de energía. Para más información, consulta *www.jorgecruise.com/penta*.

Ejercicios en 8 minutos®
jornada para el tren superior del cuerpo

EJERCICIO 1: flexiones de brazos sobre una mesa
pecho

a. Siéntate en el borde de una silla sólida y resistente, a unos 60-90 cm frente a una mesa. Coloca las palmas de las manos sobre el tablero con los brazos extendidos. No bloquees los codos; manténlos relajados. Siéntate bien erguido con la espalda alargada y plana, los hombros relajados y los abdominales firmes.

b. Inspira mientras doblas los codos y flexionas el tronco al nivel de las caderas, acercando el pecho a la mesa. Cuando ya no puedas flexionar más el tronco, espira mientras haces presión con las manos para elevarte hasta la postura de partida. Repite durante 1 minuto, y a continuación pasa al Ejercicio 2.

a

b

TABLA DE 8 MINUTOS				
ejercicio	ejercicio 1	ejercicio 2	ejercicio 3	ejercicio 4
series				
repeticiones				

EJERCICIO 2: elevaciones frontales y laterales de brazos
hombros

a. Colócate de pie, con los pies en la vertical de las caderas, la espalda alargada y recta, y los abdominales firmes. Espira mientras elevas los brazos por delante del torso hasta la altura de los hombros. Asegúrate de mantener los hombros relajados y apartados de las orejas.

b. Mientras inspiras, baja los brazos a la posición de partida.

c. Espira mientras elevas los brazos lateralmente. Detente al alcanzar la altura de los hombros, y a continuación inspira y bájalos a la posición de partida. Repite la secuencia entera durante 60 segundos y a continuación pasa al Ejercicio 3 de la pág. 132.

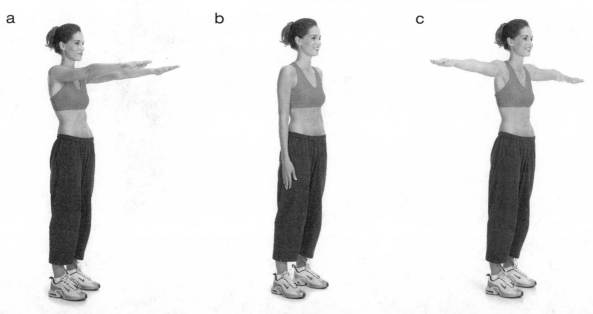

a   b   c

secuencia de ejercicios

1. calentamiento Trota o marcha sobre el sitio, sin desplazamiento, durante 1 minuto.

2. ejercicios cruise Realiza una repetición de 60 segundos de cada uno de los 4 Ejercicios Cruise. Al repetir este ciclo, habrás terminado en 8 minutos.

3. enfriamiento Después de tus Ejercicios Cruise, realiza estos estiramientos (ver pág. 79).

Alcanzar el cielo con las manos

Estiramiento del corredor de vallas

Estiramiento de la cobra

jornada para el tren superior del cuerpo
(cont.)

EJERCICIO 3: contracción de bíceps
bíceps

a. Colócate en pie, con los pies ligeramente más separados entre sí que la anchura de las caderas. Contrae los abdominales, alarga y estira la espalda y relaja los hombros. Eleva los brazos lateralmente con las palmas vueltas hacia arriba. Flexiona los codos y las muñecas, con los puños no muy apretados acercándolos a los hombros. Una vez en posición, ¡saca molla! Flexiona y endurece los bíceps y mantén la contracción durante 1 minuto. A continuación pasa al Ejercicio 4.

a

come nutritivamente, *no* emocionalmente®
visualización

Es un precioso día de verano, así que hoy acompañarás a una amiga y su perro al parque para pasar allí una jornada de sol y juego. Prepárate cerrando los ojos y realizando unas cuantas respiraciones profundas y relajantes, inspirando por la nariz y espirando por la boca. Deja que cada espiración te lleve a un estado de profunda relajación. Una vez que te sientas completamente relajado/a, estarás listo/a para empezar la visualización.

EJERCICIO 4: extensión posterior de brazos
tríceps

a. Colócate en pie con los pies en la vertical de las caderas. Flexiona unos 45 grados el tronco al nivel de las caderas, con los brazos extendidos hacia el suelo. Espira mientras elevas los brazos extendidos por detrás del torso, con los meñiques hacia arriba. Deténte cuando hayas extendido los brazos, pero antes de que se te bloqueen los codos. (Recuerda: no bloquees nunca las articulaciones; manténlas siempre flexibles.) Mantén la extensión durante 1 minuto, y a continuación vuelve al Ejercicio 1 de la pág. 130. Repite los Ejercicios 1-4 una vez más, y habrás terminado.

a

un día en el parque

Para ti, estar activo/a es una forma de vida. Siente, desde lo más hondo de ti, el gozo que proviene de pasar la jornada al aire libre en plena actividad. Te ajustas la visera, coges una botella de agua del frigorífico y sales por la puerta principal justo cuando tu amiga y su perro están cruzando la calle.

Los tres camináis más o menos kilómetro y medio hasta el parque, charlando y riendo todo el camino.

Al entrar al parque, te detienes en una fuente para rellenar la botella y dar un largo, agradable y refrescante trago. "Ahhhh, ¡qué bien sienta esto!", comentas. Te diriges a una amplia pradera. Tu amiga y tú os tiráis un Frisbee y perseguís al perro por el parque. ¿A que te sientes fenomenal al ser capaz de correr, y saltar, y jugar como un crío/una cría?

Nivel 2
Miércoles

"*Haz lo que puedas, con lo que tengas, donde estés.*"

—**Theodore Roosevelt**

reflexión poderosa de jorge

Cuando tu vida se vuelve muy ajetreada, es fácil pasar por alto la sana costumbre del ejercicio y poner los Ejercicios Cruise al final de tu lista de obligaciones. Pero ¡no lo hagas! Tus Ejercicios Cruise no sólo son críticos para que tengas éxito, sino que también te ayudarán a afrontar el estrés de la vida diaria. Cuando se hace ejercicio con regularidad, se es menos propenso a padecer depresión y la sensación de estar abrumado. A su vez, eso reduce las posibilidades de que te automediques con comida. Así que, cada mañana (estés donde estés, ya sea en casa de un pariente, durmiendo en un hotel, o simplemente en casa) realiza tus Ejercicios Cruise nada más despertarte. Y luego, durante toda la jornada, realiza minisesiones de ejercicios, que pueden ser tan sencillas como un paseo de 5 minutos alrededor de la manzana o perseguir a tu perro por el jardín trasero. Cualquier clase de movimiento que puedas meter en un huequecito que te hagas te dejará con más energía, menos estresado y más capacitado para disfrutar de todo lo que la vida tiene que ofrecer.

"Tira a la basura el recuerdo de tu pasado cuando no estabas en forma. Entra en un mundo nuevo, en el que estás en forma y tienes confianza en ti mismo. Tus posibilidades son infinitas."

Ejercicios en 8 minutos®
jornada para el vientre

EJERCICIO 1: hundimiento abdominal de rodillas
músculo transverso del abdomen

a. Arrodíllate en el suelo a cuatro patas, con las manos en la vertical de los hombros y las rodillas en la vertical de las caderas. Comprueba que la columna vertebral se halle en una posición neutra.

b. Espira mientras traccionas el ombligo hacia la columna y contraes los músculos abdominales. Mete el ombligo lo más que puedas. Mantén la contracción durante 1 a 3 segundos, y a continuación espira expandiendo el vientre tanto como te sea posible. Sigue alternando lentamente entre ambas posiciones durante 1 minuto, y luego pasa al Ejercicio 2.

a

b

TABLA DE 8 MINUTOS				
ejercicio	ejercicio 1	ejercicio 2	ejercicio 3	ejercicio 4
series				
repeticiones				

EJERCICIO 2: la plancha
músculo recto del abdomen

a. Échate boca abajo, con las piernas extendidas. Flexiona los brazos y apoya los antebrazos en el suelo, con los codos en la vertical de los hombros.

b. Espira mientras elevas el torso hasta una posición modificada de un típico fondo de brazos. Sólo se hallan en contacto con el suelo los antepiés, las manos y los antebrazos. Trata de formar una línea recta desde los talones hasta la cabeza, usando la fuerza del vientre para evitar que las caderas se comben hacia el suelo. Respira normalmente mientras mantienes esta posición. Con el tiempo conviene que mantengas la posición durante 1 minuto, pero al principio es posible que sólo seas capaz de hacerlo 10 segundos. Manténla todo el tiempo que puedas, y a continuación pasa al Ejercicio 3 de la pág. 138.

a

b

secuencia de ejercicios

1. calentamiento Trota o marcha sobre el sitio, sin desplazamiento, durante 1 minuto.

2. ejercicios cruise Realiza una repetición de 60 segundos de cada uno de los 4 Ejercicios Cruise. Al repetir este ciclo, habrás terminado en 8 minutos.

3. enfriamiento Después de tus Ejercicios Cruise, realiza estos estiramientos (ver pág. 79).

Alcanzar el cielo con las manos | **Estiramiento del corredor de vallas** | **Estiramiento de la cobra**

jornada para el vientre (cont.)

EJERCICIO 3: la plancha lateral
músculos oblicuos del abdomen

a. Échate sobre el costado izquierdo, con las piernas extendidas y el brazo derecho apoyado en el muslo del mismo lado. Incorpora el tronco apoyando en el suelo el antebrazo izquierdo.

b. Espira mientras separas las caderas del suelo y, simultáneamente, equilibras el peso corporal sobre el antebrazo izquierdo y el borde externo del pie izquierdo. Mantén la elevación durante 30 segundos, respirando normalmente. Cambia de lado y repite. Pasa luego al Ejercicio 4.

a

b

come nutritivamente, *no* emocionalmente®
visualización

Tu compromiso con llevar un estilo de vida saludable ha cambiado a mejor todos los aspectos de tu vida, y no sólo estás más alegre que nunca, sino que tu cuerpo se está tonificando, tensando, fortaleciendo y adelgazando. ¡Hoy vas a lucir el palmito mientras participas en un concurso de salud y puesta en forma! Así pues,

cierra los ojos y realiza unas cuantas respiraciones relajantes, inspirando por la nariz y espirando por la boca. Deja que cada espiración te lleve a un estado de profunda relajación. Una vez que te sientas completamente relajado/a, estarás listo/a para empezar la visualización.

EJERCICIO 4: elevaciones de piernas
tramo inferior del músculo recto del abdomen

a. Échate boca arriba con las rodillas flexionadas y los pies bien plantados en el suelo. Apoya los brazos a los lados con las palmas vueltas hacia el suelo.

b. Espira y tensa el abdomen mientras elevas y extiendes ambas piernas, creando un ángulo de 45 grados entre las piernas y el suelo. No permitas que se arquee la parte inferior de la espalda, separándose del suelo. Sigue respirando normalmente mientras mantienes la elevación durante 5 segundos. Baja las piernas hasta el suelo, descansa durante 2 segundos y luego repite. Alterna entre repetición y descanso durante 1 minuto, y a continuación vuelve al Ejercicio 1 de la pág. 136. Repite los Ejercicios 1-4 una vez más, y habrás terminado.

a

b

la persona más en forma del año

Acabas de llegar al auditorio donde competirás por el título de "Persona más Sana y en Forma del Año". Un director de escena te acompaña hasta tu camerino, que está lleno de flores y tarjetas de amigos y familiares. Te cambias, poniéndote tu atuendo deportivo y realizas algunos estiramientos. Cuando llega tu turno, lleno/a de confianza sales corriendo suavemente al escenario. La música comienza y tú realizas impecablemente tus ejercicios. ¿Qué tal sientes el cuerpo mientras realiza giros, flexiones y saltos? Das en el blanco con tu ejercicio final y lo mantienes durante unos segundos mientras el auditorio se vuelve loco. "Señoras y caballeros", dice el comentarista, "¡Están ustedes ante la nueva Persona más Sana y En Forma del Año!". ¿Qué tal te sientes? Excelentemente, ¿verdad?

Nivel 2
Jueves

> "Los obstáculos son esas cosas espantosas que ves cuando apartas tus ojos de la meta."
>
> —Hannah Moore

reflexión poderosa de jorge

Muchos de los alimentos que llamamos tan amablemente comida consoladora (como las empanadas, las judías con chorizo, el puré de patatas o los macarrones con queso) están cargados de grasas saturadas, ¡lo cual significa que se asientan "a sus anchas" en tu cintura! Pero la comida consoladora no tiene por qué rebosar de grasas y calorías para darte esa sensación cálida y acogedora. Las comidas calientes con un alto contenido en agua o en fibra pueden satisfacer los requisitos y son especialmente satisfactorias. Un plato de sopa de verduras o de copos de avena es una opción excelente y muy sana. O si te apetece algo cremoso, puedes crear esa textura usando puré de judías blancas, tofu sedoso o puré de patatas en copos instantáneo bajo en calorías. Para conseguir unas judías más saludables, evita poner nada de cerdo y utiliza, en cambio, verduras: zanahorias, calabaza... Recuerda que, con algo de creatividad, puedes convertir cualquier alimento en una comida sana.

"Hay tantos lugares a los que tu cuerpo puede llevarte... Cuanto más te fortaleces, más cosas puedes experimentar. No hay nada fuera de tu alcance."

Ejercicios en 8 minutos®
jornada para el tren inferior del cuerpo

EJERCICIO 1: *superman*
parte inferior de la espalda

a. Échate boca abajo en el suelo, con las piernas rectas y los brazos extendidos ante ti, como Superman volando por el aire. Espira mientras elevas a la vez los brazos y las piernas separándolos del suelo unos 10 cm. Si empiezas a sentir algún pinzamiento en la parte inferior de la espalda, concéntrate en elongar la columna alargando lo más que puedas los dedos tanto de las manos como de los pies. Asegúrate de que la cabeza permanezca en una posición neutra, con la mirada fija hacia delante. Mantén la elevación durante 1 minuto, y a continuación pasa al Ejercicio 2.

a

TABLA DE 8 MINUTOS				
ejercicio	ejercicio 1	ejercicio 2	ejercicio 3	ejercicio 4
series				
repeticiones				

EJERCICIO 1: sentadillas apoyándose en una pared
cuádriceps

a. Sitúate de pie, con los pies en la vertical de las caderas y la cabeza, los hombros y la espalda apoyados en una pared. Avanza lentamente con los pies mientras flexionas las rodillas, deslizándote hacia abajo por la pared lo más que puedas sin desplazar las rodillas más allá de la vertical de los tobillos, ni las nalgas por debajo de las rodillas. Mantén la sentadilla durante 1 minuto respirando normalmente, y a continuación pasa al Ejercicio 2 de la pág. 144.

a

secuencia de ejercicios

1. calentamiento Trota o marcha sobre el sitio, sin desplazamiento, durante 1 minuto.

2. ejercicios cruise Realiza una repetición de 60 segundos de cada uno de los 4 Ejercicios Cruise. Al repetir este ciclo, habrás terminado en 8 minutos.

3. enfriamiento Después de tus Ejercicios Cruise, realiza estos estiramientos (ver pág. 79).

Alcanzar el cielo con las manos

Estiramiento del corredor de vallas

Estiramiento de la cobra

jornada para el tren inferior del cuerpo
(cont.)
EJERCICIO 3: mantenimiento de la elevación posterior de la pierna
isquiotibiales

a. Colócate de pie frente a una pared, a unos 30 cm de distancia, con los pies en la vertical de las caderas. Apoya las manos en la pared para mantener el equilibrio. Comprueba tu postura. Asegúrate de que la espalda esté alargada y recta, los hombros relajados y apartados de las orejas, y los abdominales bien duros.

b. Espira mientras elevas el pie derecho hacia la nalga derecha. Detén la elevación al formar con la pierna un ángulo de 90 grados. Mantén la elevación durante 30 segundos mientras respiras normalmente, y a continuación cambia de piernas. Una vez que hayas repetido con la otra pierna, pasa al Ejercicio 4.

a

b

come nutritivamente, *no* emocionalmente®
visualización

Hoy vas a preparar una deliciosa ensalada hecha con verduras que tú mismo/a has cultivado en su propio huerto. ¡La visualización de hoy lo hará posible! Cierra los ojos y realiza unas cuantas respiraciones relajantes, inspirando por la nariz y espirando por la boca. Deja que cada espiración te lleve a un estado de profunda relajación. Una vez que te sientas completamente relajado/a, estarás listo/a para empezar la visualización.

EJERCICIO 4: mantenimiento de la elevación de talones
gemelos

a. Colócate de pie, con los pies en la vertical de las caderas. Espira mientras elevas los talones, apoyándote sólo en los antepiés. Para mantener el equilibrio, coloca una mano sobre una silla sólida y resistente o una pared. Imagina que lleves puestos unos tacones muy altos. Mantén la elevación durante 1 minuto, y a continuación vuelve al Ejercicio 1 de la pág. 142. Repite los Ejercicios 1-4 una vez más, y habrás terminado.

a

tu huerto interior

Acabas de volver a casa, del centro de jardinería más cercano, con todo lo que necesitas para iniciar tu huerto: tierra, semillas, esquejes, pala, azada, regadera y guantes. Te pones un mono, algo de crema solar y un sombrero de ala ancha.

Sientes cómo el sol te calienta las mejillas mientras empiezas a cavar en la tierra con la azada. Tus brazos están fuertes y duros. A medida que cavas la tierra y plantas cada semilla o esqueje, concéntrate en la fuerza que tu cuerpo demuestra. ¡Tratas el huerto con todo mimo, proporcionándole los nutrientes que necesitan las plantas para crecer! Imagínate el aspecto que el huerto tendrá dentro de dos semanas y, a continuación, dentro de un mes. Imagina las deliciosas verduras madurando.

Nivel 2
Viernes

"*Convierte en norma de vida no arrepentirte nunca y no volver jamás la vista atrás. El remordimiento es una atroz pérdida de energía.*"

—Katherine Mansfield

reflexión poderosa de jorge

Cuando añades aceite de lino a tu comida (o lo tomas en forma de cápsulas), se convierte en uno de los materiales de construcción claves para generar nuevo músculo magro, además de ayudarte a quitarte el apetito, desbloquear y quemar los depósitos grasos del cuerpo, y mejorar tu salud general. Puede hacer todas estas sorprendentes cosas porque es la fuente más rica de ácidos grasos omega-3, que son la mejor opción que tu cuerpo tiene para mantenerlo todo, desde las membranas celulares hasta las funciones cerebrales. Y cuando tu cuerpo usa los ácidos grasos omega-3 para esta clase de funciones corporales imprescindibles, no queda literalmente nada de ellos que se deposite en tu cuerpo en forma de grasa. Te sugiero adquirir el aceite y mezclar una cucharadita con copos de avena, yogur y otros alimentos. No notarás el sabor una vez que lo mezcles, pero después ¡sí que notarás lo lleno que te sientes! Para más información sobre el aceite de lino y conocer mis marcas preferidas, visita *www.jorgecruise.com/flax*.

"Saborea todos los cumplidos que recibas acerca de tu vientre. Deja que cada uno de ellos estimule tu motivación para recibir más."

Ejercicios en 8 minutos®
jornada para el vientre

EJERCICIO 1: hundimiento abdominal de rodillas
músculo transverso del abdomen

a. Arrodíllate en el suelo a cuatro patas, con las manos en la vertical de los hombros y las rodillas en la vertical de las caderas. Comprueba que la columna vertebral se halle en una posición neutra.

b. Espira mientras traccionas el ombligo hacia la columna y contraes los músculos abdominales. Mete el ombligo lo más que puedas. Mantén la contracción durante 1 a 3 segundos, y a continuación espira expandiendo el vientre tanto como te sea posible. Sigue alternando lentamente entre ambas posiciones durante 1 minuto, y luego pasa al Ejercicio 2.

a

b

TABLA DE 8 MINUTOS				
ejercicio	ejercicio 1	ejercicio 2	ejercicio 3	ejercicio 4
series				
repeticiones				

EJERCICIO 2: la plancha
músculo recto del abdomen

a. Échate boca abajo, con las piernas extendidas. Flexiona los brazos y apoya los antebrazos en el suelo, con los codos en la vertical de los hombros.

b. Espira mientras elevas el torso hasta una posición modificada de un típico fondo de brazos. Sólo se hallan en contacto con el suelo los antepiés, las manos y los antebrazos. Trata de formar una línea recta desde los talones hasta la cabeza, usando la fuerza del vientre para evitar que las caderas se comben hacia el suelo. Respira normalmente mientras mantienes esta posición. Con el tiempo conviene que mantengas la posición durante 1 minuto, pero al principio es posible que sólo seas capaz de hacerlo 10 segundos. Manténla todo el tiempo que puedas, y a continuación pasa al Ejercicio 3 de la pág. 150.

a

b

secuencia de ejercicios

1. calentamiento Trota o marcha sobre el sitio, sin desplazamiento, durante 1 minuto.

2. ejercicios cruise Realiza una repetición de 60 segundos de cada uno de los 4 Ejercicios Cruise. Al repetir este ciclo, habrás terminado en 8 minutos.

3. enfriamiento Después de tus Ejercicios Cruise, realiza estos estiramientos (ver pág. 79).

Alcanzar el cielo con las manos

Estiramiento del corredor de vallas

Estiramiento de la cobra

jornada para el vientre (cont.)

EJERCICIO 3: la plancha lateral
músculos oblicuos del abdomen

a. Échate sobre el costado izquierdo, con las piernas extendidas y el brazo derecho apoyado en el muslo del mismo lado. Incorpora el tronco apoyando en el suelo el antebrazo izquierdo.

b. Espira mientras separas las caderas del suelo y, simultáneamente, equilibras el peso corporal sobre el antebrazo izquierdo y el borde externo del pie izquierdo. Mantén la elevación durante 30 segundos, respirando normalmente. Cambia de lado y repite. Pasa luego al Ejercicio 4.

a

b

come nutritivamente, *no* emocionalmente®
visualización

Para el ejercicio de visualización de hoy, vas a sentir la brisa corriendo entre tu pelo mientras una amiga y tú dais un paseo sin prisas en bicicleta por el barrio o el vecindario. ¡Prepárate para emprender un divertidísimo paseo en bici! Cierra los ojos y realiza unas cuantas respiraciones relajantes, inspirando por la nariz y espirando por la boca. Deja que cada espiración te lleve a un estado de profunda relajación. Una vez que te sientas completamente relajado/a, estarás listo/a para empezar la visualización.

EJERCICIO 4: elevaciones de piernas
tramo inferior del músculo recto del abdomen

a. Échate boca arriba con las rodillas flexionadas y los pies bien plantados en el suelo. Apoya los brazos a los lados con las palmas vueltas hacia el suelo.

b. Espira y tensa el abdomen mientras elevas y extiendes ambas piernas, creando un ángulo de 45 grados entre las piernas y el suelo. No permitas que se arquee la parte inferior de la espalda, separándose del suelo. Sigue respirando normalmente mientras mantienes la elevación durante 5 segundos. Baja las piernas hasta el suelo, descansa durante 2 segundos y luego repite. Alterna entre repetición y descanso durante 1 minuto, y a continuación vuelve al Ejercicio 1 de la pág. 148. Repite los Ejercicios 1-4 una vez más, y habrás terminado.

a

b

un tú en forma

Imagínate a ti mismo/a llevando un par de cómodos pantalones cortos de *spandex* y una bonita camiseta bien fresca. Estás haciendo unos cuantos estiramientos mientras esperas a que llegue tu amiga.

"¿Estás listo/a?", pregunta tu amiga mientras entra pedaleando con su bicicleta en la entrada de tu garaje. "Claro", contestas, "sólo me falta coger la bicicleta". Empujas tu bicicleta junto al lateral de tu casa,

pensando lo divertido que es poder disfrutar de un día montando en bici. Tu amiga y tú pedaleáis uno/a junto a otra, charlando y riendo. A veces vais lentamente, sin prisas, y otras aceleráis el ritmo y echáis unas carreritas. Te sientes de nuevo como un/a crío/a mientras atraviesas deslizándote el barrio/vecindario, disfrutando del paisaje y del sol que te da en la cara.

Nivel 2
Sábado

> "El carácter es
> lo que eres
> en la oscuridad."
>
> —Dwight L. Moody

reflexión poderosa de jorge

La mayoría de la gente necesita como mínimo 8 horas de sueño cada noche para descansar, reparar y renovar su cuerpo completamente. Si has adquirido el hábito de trasnochar y de no conceder a tu cuerpo el sueño que necesita, empieza a dar pequeños pasos para acostarte más temprano. Como tu cuerpo posee un reloj interno que está ajustado a tus hábitos rutinarios, probablemente te cueste mucho dormirte una hora o más antes de lo que estés acostumbrado. Así pues, cambia la hora de acostarte en incrementos de 15 minutos para que tu reloj corporal sea capaz de reajustarse adecuadamente. Asimismo, cuanto más dependiente seas de la cafeína, más difícil te resultará despertarte por la mañana. Quítate la costumbre de la cafeína excesiva pasándote a café mitad normal y mitad descafeinado. A partir de ahí, pásate al té o al café descafeinado. A partir de ahí pásate al té verde o al té desteinado.

"Mientras hoy te depuras, permítete mentalmente librarte de algo de negatividad de tu pasado. Nota la libertad que sientes simplemente adoptando una perspectiva positiva."

depuración del organismo
día libre de ejercicios cruise

Hoy es tu día libre de los Ejercicios Cruise, pero no un día libre del programa. Usa el día de hoy para mimarte por dentro y por fuera. Invierte algo de tiempo en relajarte, tanto mental como corporalmente. Lee esa novela que has estado posponiendo. Pasa algo de tiempo en el parque, escribiendo en el diario que te ofrezco en la página siguiente. ¡O échate la siesta por la tarde! Éste es tu día para descansar, relajarte y rejuvenecer, tu día para limpiar completamente tu organismo.

Para depurar tu organismo, sigue mi plan en tres pasos:

1. Bébete tu batido de *Psyllium plantago* para desayunar. El batido reemplaza al desayuno. No tomes nada para desayunar aparte del batido. (Para conocer algunas de mis marcas favoritas de batidos de psyllium, visita *www.jorgecruise.com/psyllium*.)

2. En el almuerzo y la cena elige como raciones de proteína opciones *no cárnicas*. Consulta el capítulo extra de la pág. 199 para encontrar ejemplos de comidas proteínicas vegetales.

3. Bebe ocho vasos de agua de 500 c.c. (o dieciséis de 250 c.c.), doblando tu ingesta normal de agua.

come nutritivamente, *no emocionalmente*® visualización

Hoy es el cumpleaños de una buena amiga y la has invitado a tu casa para ofrecerle una deliciosa y saludable cena gastronómica. ¿Estás listo/a para ponerte a cocinar? Cierra los ojos y realiza unas cuantas respiraciones relajantes, inspirando por la nariz y espirando por la boca. Deja que cada espiración te lleve a un estado de profunda relajación. Una vez que te sientas completamente relajado/a, estarás listo/a para empezar la visualización.

diario

_____ _____
_____ _____
_____ _____
_____ _____
_____ _____
_____ _____
_____ _____
_____ _____
_____ _____
_____ _____
_____ _____
_____ _____
_____ _____
_____ _____
_____ _____
_____ _____
_____ _____
_____ _____

una comida gastronómica

Has planeado cuidadosamente el menú durante la pasada semana y adquirido todo lo que necesitas. Oyes el timbre justo cuando estás acabando de cortar las últimas verduras para la ensalada. Obsérvate a ti mismo/a abriendo la puerta y saludando a tu amiga con un fuerte abrazo para felicitarle el cumpleaños. Mientras te sigue hasta la cocina, comenta lo bien que huele todo. La acompañas hasta la mesa del comedor, que has preparado con tu mejor vajilla y decorado con un jarrón lleno de sus flores favoritas. Obsérvate sirviendo cada plato exquisito entre las exclamaciones de admiración de la homenajeada. Disfruta de cada bocado y deja de comer cuando estás satisfecho/a, no completamente lleno/a.

Cuando se ha retirado la cena, bajas las luces y sacas el pastel. Ella apaga las velas de un soplo y cada uno/a saborea un delicioso trozo. Mientras ella se prepara para la partida, le introduces en una cajita de plástico lo que ha sobrado para que al día siguiente pueda volver a disfrutarlo. Te da un fuerte abrazo y dice: "¡Muchísimas gracias! Esto me ha hecho sentirme realmente especial. Eres un/a amigo/a estupendo/a".

Nivel 2
Domingo

"La mayoría de las personas se pasa la vida debatiéndose por el mismo camino trillado, preguntándose si alcanzarán alguna vez sus sueños. Los afortunados descubren que existe una preciosa autopista de seis carriles justo al otro lado de la colina, creada sólo para ellos. Es su senda personal, ya lista y esperando para llevarles a toda velocidad hasta sus sueños."

—Chris J. Witting Jr.

reflexión poderosa de jorge

El picolinato de cromo es un mineral que tu organismo necesita para generar músculo y reducir la grasa corporal. Necesitas sólo una cantidad muy pequeña, pero un asombroso 50 por ciento de estadounidenses probablemente no consuman suficiente cantidad de este importante mineral para que realice sus funciones adecuadamente. La razón es que el cromo, simplemente, no se encuentra con facilidad en la mayoría de los alimentos saludables. Por eso te recomiendo que tomes un suplemento de cromo. La dosis diaria mínima debe ser de 200 microgramos, pero para resultados aún mejores, apunta a 400-600 microgramos al día. No apreciarás los resultados inmediatamente; suelen tardarse unos 6 meses antes de que tu organismo se ajuste a la dosis extra de este mineral. No obstante, estáte seguro de que con el tiempo notarás un cambio positivo. Después de tomar suplementos de cromo durante unos cuantos meses, mis clientes informaron de menos ansias de comida y mayor resistencia durante sus Ejercicios Cruise. Consulta *www.jorgrecruise.com/chromium* para conocer algunas de las mejores marcas que recomiendo.

"Siempre que te encuentres debatiéndote con la tentación, recuerda tus Cinturones de Seguridad. ¡Para eso son!"

capta tus progresos
día libre de ejercicios cruise

Hoy es tu día libre. Tómate un momento para saborear tus progresos. Coge un bolígrafo y responde a las siguientes preguntas. Luego comparte las respuestas conmigo enviándome un mensaje de correo electrónico a *flatbelly2@jorgecruise.com*.

1. ¿Cuál es tu peso actual?

_____

2. ¿Cuál era tu peso antes de empezar?

_____

3. ¿Cuál es tu circunferencia de cintura en centímetros?

_____

4. ¿Cuál era tu circunferencia de cintura al empezar?

_____

5. ¿Qué has hecho bien esta semana? ¿De qué te sientes más orgulloso?

_____

_____

_____

_____

6. ¿Qué podrías mejorar la próxima semana?

_____

_____

_____

_____

come nutritivamente, *no* emocionalmente®
visualización

Para la visualización de hoy vamos a echar una ojeada a una típica mañana de tu vida futura. Tienes recados y tareas que hacer, gente a la que ver y tráfico que soportar (¡qué caramba, así es la vida!). Pero la mañana... ¡te la tienes reservada en exclusiva! Cierra los ojos y realiza unas cuantas respiraciones relajantes, inspirando por la nariz y espirando por la boca. Deja que cada espiración te lleve a un estado de profunda relajación. Una vez que te sientas completamente relajado/a, estarás listo/a para empezar la visualización.

edna frizzell ¡redujo cuatro tallas!

"Empecé el programa 8 meses después de dar a luz a mi segundo hijo, para perder el peso que había ganado durante mi embarazo. Los Ejercicios Cruise me ayudaron a conseguir la apariencia delgada y firme que había ansiado desde hacía mucho tiempo. Ahora puedo llevar ropa más elegante y sentirme cómoda en traje de baño. Y lo mejor de todo: el programa también se ajustaba a mi apretada agenda. Pude apreciar los resultados rápidamente, lo cual me ofreció la motivación para seguir.

"Además de reducir el tamaño de mi vientre, también experimenté otros resultados. Ahora vuelvo a disponer de mi autoestima, que es uno de los mejores beneficios del programa. Me encanta ser quien soy y puedo mirarme de verdad en el espejo y gustarme la persona que veo reflejada en él. He recuperado mi efervescente personalidad. ¡Me he vuelto a sentir joven y a estar guapa! ¡Gracias, Jorge, por devolverme a mi ser!

¡Edna perdió más de 11 kilos!

visión matinal

Contémplate a ti mismo/a en tu cama justo antes de que estés a punto de despertarte. Observa lo tranquilo/a y descansado/a que estás, tu respiración en calma. Obsérvate mientras te despiertas y miras el reloj. Ya ni siquiera necesitas despertador, porque tu reloj interno te despierta naturalmente todos los días justo a las 6 de la mañana. Observa mientras estiras

tu brazo tonificado y fuerte hacia la mesilla y sacas una tarjeta de una pila de mensajes motivacionales que te has hecho. Después de leerlo, saltas de la cama y te diriges al cuarto de baño para arreglarte. Una vez fuera, empiezas tus Ejercicios Cruise.

Observa cómo se contraen tus músculos mientras realizas cada repetición suave y controlada-

mente. ¿Alguna vez te imaginaste que tu vientre podría tener este aspecto? Después de 8 minutos, remitas la sesión con algunos estiramientos finales. Te encanta disponer de ese tiempo todo para ti por la mañana. Ahora, te das un duchazo y te vistes para la jornada. Mírate en el espejo y sonríe. ¡Va a ser un gran día!

Nivel 3
Lunes

"*Las personas son felices en la medida en que preparan su mente para serlo.*"

—**Abraham Lincoln**

reflexión poderosa de jorge

El arroz integral constituye un excelente añadido a cualquier comida. Posee una rica textura masticable que es excelente como guarnición, mezclado con legumbres, finas hierbas, verduras o pollo, o añadido a un burrito mexicano o a una sopa. Una ración de arroz integral es una excelente fuente de selenio, que puede reducir tu riesgo de padecer cáncer y cardiopatías. Y también contiene 2 miligramos de vitamina E, que es un antioxidante excelente que ayuda a reparar tus músculos después de los Ejercicios Cruise.

Además de arroz integral, también me encanta comer copos de avena. Me gusta mucho añadir copos de avena a la sopa de pollo casera. Los copos de avena rebosan de fibra soluble (del tipo que baja el colesterol y ayuda a la digestión), cobre, magnesio y cinc. Si comes copos de avena, asegúrate de adquirir la variedad de cocinado lento, porque los instantáneos están mucho más refinados y poseen menos fibra.

"Regálate algo: perdona hoy a alguien. Nota cuánta energía se genera cuando uno deja de aferrarse a la ira."

Ejercicios en 8 minutos®
jornada para el vientre

EJERCICIO 1: hundimiento abdominal con balón de ejercicio
músculo transverso del abdomen

a. Colócate en pie sosteniendo contra el abdomen, con ambas manos, un balón grande de ejercicio bien inflado (también llamado *gym ball* o balón de *fitness*). Espira por completo mientras traccionas el ombligo hacia la columna vertebral. Mantén la contracción durante 1 a 3 segundos. A continuación, al inspirar, intenta expandir el vientre contra el balón (apartándolo con el abdomen) mientras simultáneamente usas las manos para mantener el balón en posición, creando resistencia contra el vientre. Una vez que hayas inspirado por completo, mantén la expansión abdominal durante 1 a 3 segundos. Alterna entre las dos posiciones durante 1 minuto, y luego pasa al Ejercicio 2.

a

TABLA DE 8 MINUTOS

ejercicio	ejercicio 1	ejercicio 2	ejercicio 3	ejercicio 4
series				
repeticiones				

EJERCICIO 2: la carpa con balón de ejercicio
músculo recto del abdomen

a. Colócate de pie con el balón de ejercicio delante de ti. Arrodíllate sobre el balón y camina con las manos hacia delante hasta que puedas colocar una palma y luego la otra sobre el suelo delante del balón, con las espinillas sobre éste. Sigue caminando lentamente hacia delante con las manos, hasta que te halles en posición de hacer fondos de brazos, con las espinillas sobre el balón y las manos en la vertical del pecho.

b. Tensa los abdominales para evitar que las caderas se comben hacia el suelo. Espira al flexionar las rodillas, acercando los muslos al pecho mientras, al mismo tiempo, haces rodar el balón hacia delante. Mantén la posición durante 1 a 3 segundos, y luego inspira al volver a la posición de partida. Alterna entre las dos posiciones durante 1 minuto, y a continuación pasa al Ejercicio 3 de la pág. 164.

a

b

secuencia de ejercicios

1. calentamiento Trota o marcha sobre el sitio, sin desplazamiento, durante 1 minuto.

2. ejercicios cruise Realiza una repetición de 60 segundos de cada uno de los 4 Ejercicios Cruise. Al repetir este ciclo, habrás terminado en 8 minutos.

3. enfriamiento Después de tus Ejercicios Cruise, realiza estos estiramientos (ver pág. 79).

Alcanzar el cielo con las manos

Estiramiento del corredor de vallas

Estiramiento de la cobra

jornada para el vientre (cont.)

EJERCICIO 3: balanceo de piernas con balón de ejercicio
músculos oblicuos del abdomen

a. Échate boca arriba con los brazos extendidos lateralmente y las palmas vueltas hacia el suelo. Sujeta un balón de ejercicio entre los tobillos con las piernas extendidas hacia el techo.

b. Espira mientras bajas lentamente las piernas hacia la derecha. Intenta mantener ambos omóplatos pegados al suelo al realizar la torsión. Inspira mientras vuelves a la posición de partida, y a continuación espira al bajar las piernas hacia la izquierda. Continúa alternando entre derecha e izquierda durante 1 minuto, y pasa luego al Ejercicio 4.

a

b

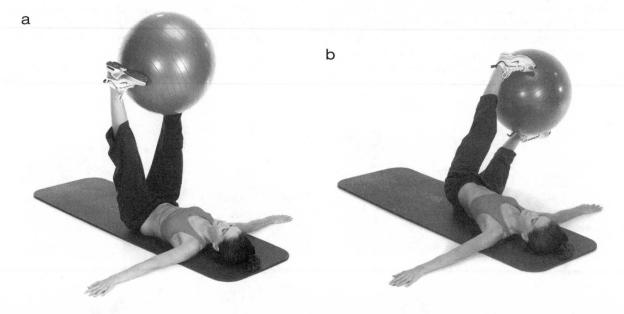

come nutritivamente, *no* emocionalmente® visualización

Durante tus visualizaciones del Nivel 3, utilizarás el poder de tu conexión mente-cuerpo para resolver los problemas emocionales y el estrés, que pueden provocar sobrealimentación o falta de ejercicio físico. Para la visualización de hoy, me gustaría que explorases tu propia pasión y veas adónde te llevará. Cierra los ojos y realiza unas cuantas respiraciones profundas y relajantes, inspirando por la nariz y espirando por la boca. Deja que cada espiración te lleve a un estado de profunda relajación. Una vez que te sientas completamente relajado/a, estarás listo/a para empezar la visualización.

EJERCICIO 4: la uve con balón de ejercicio
tramo inferior del músculo recto del abdomen

a. Siéntate en el suelo con las piernas extendidas. Sujeta un balón de ejercicio entre las palmas de las manos, con los brazos extendidos a la altura del pecho.

b. Espira mientras te inclinas hacia atrás ligeramente y elevas las piernas hasta formar una Uve con el tronco. Mantén la elevación hasta 1 minuto, y a continuación vuelve al Ejercicio 1 de la pág. 162. Repite los Ejercicios 1-4 una vez más, y habrás terminado.

a

b

desata tu pasión interior

Visualízate a ti mismo/a dentro de un año. Tienes que verte como te gustaría ser. Estás llevando a cabo, con fuerza y vigor, todas las cosas que querías. Te estás concentrando en lo que es más importante para ti y causando una grata impresión en el mundo que te rodea.

¿Y qué aspecto tiene este nuevo mundo? ¿Qué nuevas cualidades mentales, físicas y espirituales has sacado a la luz? ¿De qué consecuciones estás más orgulloso/a? ¿Qué ha sido lo que más te ha ayudado a tener éxito? ¿Qué te ha servido para vencer las dificultades que se han presentado por el camino?

Con esas respuestas, da un paso atrás hasta el momento presente y visualiza lo que debes hacer ahora mismo para convertir en realidad ese futuro.

Nivel 3
Martes

reflexión poderosa de jorge

Aunque sigas una dieta saludable rica en verduras y cereales integrales, es posible que continúes con carencias de muchos nutrientes importantes. De hecho, el *Journal of the American Medical Association* ha informado recientemente de que "la mayoría de las personas no consume una cantidad óptima de todas las vitaminas sólo mediante la dieta" y de que "todos los adultos deberían tomar diariamente un suplemento multivitamínico". Tomar un suplemento multivitamínico asegura en mayor medida que consigas todas las vitaminas y minerales que necesitas, especialmente en esos días superajetreados en los que no comes tan bien como deberías. Para disponer de vínculos directos a algunos de los mejores suplementos vitamínicos y de minerales disponibles, visita *www.jorgecruise.com/shop*.

"No apartes la vista de tu meta. ¿Cómo te sentirás de bien cuando tengas un vientre precioso? ¿Cómo será tu vida de increíble?"

Ejercicios en 8 minutos®
jornada para el tren superior del cuerpo

EJERCICIO 1: fondos de brazos sobre balón de ejercicio
pecho

a. Arrodíllate sobre el balón de ejercicio y coloca las palmas de las manos en el suelo frente al balón. Camina con las manos hacia delante mientras deslizas las piernas hacia el frente haciendo rodar el balón, hasta que éste quede bajo tus espinillas y el cuerpo en una posición propia de fondos de brazos, con las manos en la vertical del pecho.

b. Inspira mientras flexionas los codos y bajas el pecho hacia el suelo. Asegúrate de mantener fuerte el abdomen y recta la espalda. No dejes que las caderas se comben hacia abajo. Una vez que los codos se flexionen a 90 grados, espira mientras empujas con los brazos para volver a la posición de partida. Repite durante 1 minuto, y a continuación pasa al Ejercicio 2.

a

b

TABLA DE 8 MINUTOS				
ejercicio	ejercicio 1	ejercicio 2	ejercicio 3	ejercicio 4
series				
repeticiones				

EJERCICIO 2: elevaciones frontales de brazos con balón medicinal
hombros

a. Siéntate sobre el balón de ejercicio con las rodillas flexionadas y los pies en el suelo. Coge un balón medicinal con ambas manos, con los brazos extendidos cerca de las rodillas. Las manos deben hallarse una a cada lado del balón.

b. Espira mientras elevas el balón hasta la altura de los hombros. Inspira mientras lo bajas hasta la posición de partida. Repite durante 1 minuto, y a continuación pasa al Ejercicio 3 de la pág. 170.

a

b

secuencia de ejercicios

1. calentamiento Trota o marcha sobre el sitio, sin desplazamiento, durante 1 minuto.

2. ejercicios cruise Realiza una repetición de 60 segundos de cada uno de los 4 Ejercicios Cruise. Al repetir este ciclo, habrás terminado en 8 minutos.

3. enfriamiento Después de tus Ejercicios Cruise, realiza estos estiramientos (ver pág. 79).

Alcanzar el cielo con las manos

Estiramiento del corredor de vallas

Estiramiento de la cobra

jornada para el tren superior del cuerpo
(cont.)

EJERCICIO 3: flexiones de brazos con balón medicinal
bíceps

a. Siéntate sobre el balón de ejercicio con las rodillas flexionadas y los pies en el suelo. Coge un balón medicinal con ambas manos, con los brazos extendidos y las palmas de las manos vueltas hacia arriba.

b. Espira mientras flexionas los brazos, acercándote el balón al pecho. Inspira al bajar el balón a la posición de partida. Repite durante 1 minuto, y a continuación pasa al Ejercicio 4.

a

b

come nutritivamente, *no* emocionalmente®
visualización

La visualización puede ayudarte a afrontar los pequeños retos de la vida con más facilidad. En vez de problemas, ves soluciones. Cuando la vida te arroja un limón, ¡puedes convertirlo fácilmente en limonada! Usemos visualización para ayudarte a convertir tu primer limón en *limonayuda*, ¿de acuerdo? Cierra los ojos y realiza unas cuantas respiraciones profundas y relajantes, inspirando por la nariz y espirando por la boca. Deja que cada espiración te lleve a un estado de profunda relajación. Una vez que te sientas completamente relajado/a, estarás listo/a para empezar la visualización.

EJERCICIO 4: flexiones posteriores de brazos con balón medicinal
tríceps

a. Siéntate sobre el balón de ejercicio con las rodillas flexionadas y los pies en el suelo. Coge el balón medicinal con ambas manos y extiende los brazos por encima de la cabeza, bien pegados a las orejas.

b. Inspira mientras flexionas lentamente los codos y bajas el balón por detrás de la cabeza. Cuando no puedas bajar más el balón, espira mientras vuelves a elevarlo hasta la posición de partida. Repite durante 1 minuto, y a continuación vuelve al Ejercicio 1 de la pág. 168. Repite los Ejercicios 1-4 una vez más, y habrás terminado.

a

b

un problema puede ser una magnífica oportunidad

Obsérvate conduciendo a casa alegremente, cantando una canción que suena en la radio. De repente, oyes un sonido (clanc, clanc, clanc) mientras tu coche empieza a dar botes. ¡Es un pinchazo! Tranquilamente apartas tu coche hasta el arcén y das las luces de emergencia. Abres la puerta con cuidado y evalúas la situación; después, te diriges al maletero y coges la rueda de repuesto, el gato y la llave para los pernos. Obsérvate cambiando rápida y fácilmente el neumático pinchado por el de repuesto. ¿No es una sensación estupenda tener los brazos así de fuertes? Cuando terminas de poner el tapacubos, te pones en camino. ¡Sin problemas! ¿Cómo te sientes sabiendo que puedes superar cualquier obstáculo que se presente?

Nivel 3
Miércoles

"La actitud se moldea en gran medida por influencia y asociación."

—Jim Rohn

reflexión poderosa de jorge

Después de completar tus Ejercicios Cruise por la mañana, es importante enfriar los músculos con una rápida serie de estiramientos para todo el cuerpo. Estirar los músculos después de entrenarlos ayuda a neutralizar los efectos del ácido láctico mediante la restauración de la circulación sanguínea. El ácido láctico es el responsable de la sensación de quemazón que sientes durante las últimas repeticiones, y que te hace más difícil realizar otra. El estiramiento ayuda a eliminar este subproducto del cuerpo y regenera tu capacidad muscular. Estirarse también agiliza el transporte de nutrientes hasta tus músculos, lo cual acelera el proceso de curación. Esto significa que reducirás la cantidad de dolor muscular y de fatiga posterior a la sesión de ejercicios. Y lo que es más importante, los estiramientos te permitirán recuperarte mejor entre sesiones, haciéndote posible volver más fuerte para tu próxima sesión de Ejercicios Cruise (ver pág. 79).

"¿Qué has aprendido desde que empezaste el programa? Apuesto a que cuando te tomes un momento para pensar en ello, ¡descubrirás que has aprendido mucho!"

Ejercicios en 8 minutos®
jornada para el vientre

EJERCICIO 1: hundimiento abdominal con balón de ejercicio
músculo transverso del abdomen

a. Colócate en pie sosteniendo contra el abdomen, con ambas manos, un balón grande de ejercicio bien inflado (también llamado *gym ball* o balón de *fitness*). Espira por completo mientras traccionas el ombligo hacia la columna vertebral. Mantén la contracción durante 1 a 3 segundos. A continuación, al inspirar, intenta expandir el vientre contra el balón (apartándolo con el abdomen) mientras simultáneamente usas las manos para mantener el balón en posición, creando resistencia contra el vientre. Una vez que hayas inspirado por completo, mantén la expansión abdominal durante 1 a 3 segundos. Alterna entre las dos posiciones durante 1 minuto, y luego pasa al Ejercicio 2.

a

TABLA DE 8 MINUTOS				
ejercicio	ejercicio 1	ejercicio 2	ejercicio 3	ejercicio 4
series				
repeticiones				

EJERCICIO 2: la carpa con balón de ejercicio
músculo recto del abdomen

a. Colócate de pie con el balón de ejercicio delante de ti. Arrodíllate sobre el balón y camina con las manos hacia delante hasta que puedas colocar una palma y luego la otra sobre el suelo delante del balón, con las espinillas sobre éste. Sigue caminando lentamente hacia delante con las manos, hasta que te halles en posición de hacer fondos de brazos, con las espinillas sobre el balón y las manos en la vertical del pecho.

b. Tensa los abdominales para evitar que las caderas se comben hacia el suelo. Espira al flexionar las rodillas, acercando los muslos al pecho mientras, al mismo tiempo, haces rodar el balón hacia delante. Mantén la posición durante 1 a 3 segundos, y luego inspira al volver a la posición de partida. Alterna entre las dos posiciones durante 1 minuto, y a continuación pasa al Ejercicio 3 de la pág. 176.

a

b

secuencia de ejercicios

1. calentamiento Trota o marcha sobre el sitio, sin desplazamiento, durante 1 minuto.

2. ejercicios cruise Realiza una repetición de 60 segundos de cada uno de los 4 Ejercicios Cruise. Al repetir este ciclo, habrás terminado en 8 minutos.

3. enfriamiento Después de tus Ejercicios Cruise, realiza estos estiramientos (ver pág. 79).

Alcanzar el cielo con las manos

Estiramiento del corredor de vallas

Estiramiento de la cobra

jornada para el vientre (cont.)

EJERCICIO 3: balanceo de piernas con balón de ejercicio
músculos oblicuos del abdomen

a. Échate boca arriba con los brazos extendidos lateralmente y las palmas vueltas hacia el suelo. Sujeta un balón de ejercicio entre los tobillos con las piernas extendidas hacia el techo.

b. Espira mientras bajas lentamente las piernas hacia la derecha. Intenta mantener ambos omóplatos pegados al suelo al realizar la torsión. Inspira mientras vuelves a la posición de partida, y a continuación espira al bajar las piernas hacia la izquierda. Continúa alternando entre derecha e izquierda durante 1 minuto, y pasa luego al Ejercicio 4.

a

b

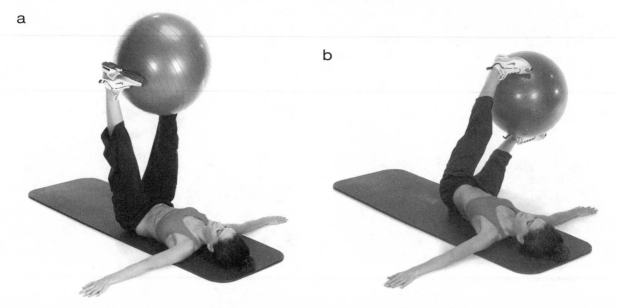

come nutritivamente, *no* emocionalmente®
visualización

Muchas personas creen que lo contrario del amor es el odio. No lo es. Lo contrario del amor es la apatía. El amor y el odio, de hecho, están muy estrechamente relacionados. Con mucha frecuencia, son las personas que amamos las que más tienden a irritarnos. Pero al respecto puedes sacar partido de la visualización.

Cierra los ojos y realiza unas cuantas respiraciones profundas y relajantes, inspirando por la nariz y espirando por la boca. Deja que cada espiración te lleve a un estado de profunda relajación. Una vez que te sientas completamente relajado/a, estarás listo/a para empezar la visualización.

EJERCICIO 4: la uve con balón de ejercicio
tramo inferior del músculo recto del abdomen

a. Siéntate en el suelo con las piernas extendidas. Sujeta un balón de ejercicio entre las palmas de las manos, con los brazos extendidos a la altura del pecho.

b. Espira mientras te inclinas hacia atrás ligeramente y elevas las piernas hasta formar una Uve con el tronco. Mantén la elevación hasta 1 minuto, y a continuación vuelve al Ejercicio 1 de la pág. 174. Repite los Ejercicios 1-4 una vez más, y habrás terminado.

a

b

ver cómo se desvanecen tus problemas

Quiero que te imagines a alguien con quien tengas un conflicto personal. Podría ser tu esposo/a o tu hijo/a o alguien en el trabajo. Evoca mentalmente la imagen de esa persona. A continuación, imagina tener una interacción positiva con ella. Empieza con algo de conversación intrascendente. Luego obsérvate a ti mismo/a encarándote con esa persona sobre lo que te está molestando. Obsérvate expresando tus preocupaciones con calma, amable y sucintamente, concentrándote en cómo te hace sentir esa persona. Obsérvala respondiendo positivamente, quizá diciendo: "No sabía que te sintieras así". Enseguida descubrirás que, si te ves mentalmente encarando tus problemas, ¡no sentirás tanto estrés o ansiedad cuando intentes resolverlos en la vida real!

Nivel 3
Jueves

reflexión poderosa de jorge

Los huevos han cogido mala fama durante las últimas décadas debido a que los expertos en salud creían que elevaban los niveles de colesterol en sangre. En los últimos años, sin embargo, numerosas organizaciones relacionadas con la salud han venido reivindicando su reputación. Aunque las yemas sean ricas en colesterol, no parece que eleven el colesterol en sangre en la mayoría de la gente. Es una buena noticia, porque los huevos proporcionan una gran fuente de proteínas de calidad que tus músculos necesitan para crecer. También contienen vitamina E, que ayuda a proteger las células musculares de la oxidación, así como diversas vitaminas importantes del grupo B que ayudan a tu organismo a quemar la grasa. La mayoría de las grasas saturadas de un huevo se hallan en la yema, así que te sugiero comer sólo la clara, rica en proteínas, o probar huevina (sucedáneo de huevo).

"¿En qué has cambiado desde que empezaste el programa? A estas alturas tu cuerpo probablemente haya cambiado bastante. ¿Qué tal tu mente y tus emociones?"

Ejercicios en 8 minutos®
jornada para el tren inferior del cuerpo

EJERCICIO 1: extensiones de columna sobre balón de ejercicio
parte inferior de la espalda

a. Échate boca abajo con el vientre apoyado en el balón de ejercicio. Coloca la punta de los pies sobre el suelo, tan separados como necesites para mantener el equilibrio. Coloca los dedos de las manos detrás de la cabeza con los codos extendidos a los lados. Tu cuerpo debe formar una línea recta desde los talones hasta la cabeza.

b. Inspira mientras bajas el torso hacia el balón. Una vez que el pecho alcance el balón, espira mientras te elevas hasta la posición de partida. Repite durante 1 minuto, y a continuación pasa al Ejercicio 2.

a

b

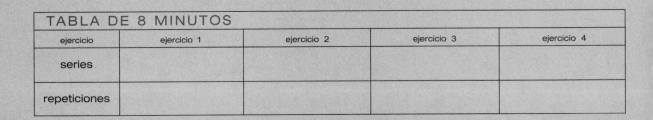

TABLA DE 8 MINUTOS				
ejercicio	ejercicio 1	ejercicio 2	ejercicio 3	ejercicio 4
series				
repeticiones				

EJERCICIO 2: sentadillas con balón de ejercicio
cuádriceps

a. Colócate el balón de ejercicio entre la espalda y una pared, inclinando tu peso corporal para cargarlo sobre el balón y mantenerlo en posición. Coloca los pies a unos 60 cm de la pared, separados entre sí el ancho de las caderas.

b. Inspira mientras flexionas las rodillas hasta los 90 grados, asegurándote de que las rodillas se mantengan en la vertical de los tobillos. Si sobresalen más allá de los arcos o la punta de los pies, separa éstos de la pared unos centímetros más. Espira al enderezar las piernas, haciendo rodar el balón por la pared mientras lo realizas. Sigue alternando entre las dos posiciones durante 1 minuto, y a continuación pasa al Ejercicio 2 de la pág. 182.

a

b

secuencia de ejercicios

1. calentamiento Trota o marcha sobre el sitio, sin desplazamiento, durante 1 minuto.

2. ejercicios cruise Realiza una repetición de 60 segundos de cada uno de los 4 Ejercicios Cruise. Al repetir este ciclo, habrás terminado en 8 minutos.

3. enfriamiento Después de tus Ejercicios Cruise, realiza estos estiramientos (ver pág. 79).

Alcanzar el cielo con las manos

Estiramiento del corredor de vallas

Estiramiento de la cobra

jornada para el tren inferior del cuerpo
(cont.)
EJERCICIO 3: caminar en posición de arrancada con balón de ejercicio
isquiotibiales

a. Colócate en pie con los pies en la vertical de las caderas. Sujeta el balón de ejercicio entre las manos, sosteniéndolo a la altura del pecho. Inspira mientras das un amplio paso al frente con la pierna derecha y flexionas ambas rodillas en un ángulo de 90 grados. Al mismo tiempo, gira el tronco hacia la derecha, manteniendo erguida la espalda. Espira mientras das otro paso al frente, esta vez haciendo la posición de arrancada con la pierna izquierda y girando el tronco hacia ese mismo lado. Sigue dando estos amplios pasos al frente durante 1 minuto, y a continuación pasa al Ejercicio 4.

a

come nutritivamente, *no* emocionalmente®
visualización

Te he dicho que tu primer paso para eliminar la alimentación emocional comienza por ti. Empieza tratándote a ti mismo con el máximo respeto, algo que puedes hacer sólo si te amas, a ti y a tu cuerpo. A veces, puede resultar difícil cultivar al amor propio en lugar de detestarse a sí mismo. Hoy completarás una visualización que te servirá de ayuda en este sentido. Cierra los ojos y realiza unas cuantas respiraciones profundas y relajantes, inspirando por la nariz y espirando por la boca. Deja que cada espiración te lleve a un estado de profunda relajación. Una vez que te sientas completamente relajado/a, estarás listo/a para empezar la visualización.

EJERCICIO 4: elevación de gemelos con balón de ejercicio
gemelos

a. Colócate de pie, con la pierna izquierda flexionada y el dorso del pie izquierdo en lo alto del balón de ejercicio. Ajusta tu peso corporal de modo que te sientas firmemente en equilibrio. Yérguete bien, con buena postura.

b. Espira mientras elevas el talón derecho separándolo del suelo y trasfiriendo tu peso corporal sobre la parte anterior del pie derecho. Inspira mientras desciendes. Sigue con tus elevaciones de gemelos durante 30 segundos, y luego cambia al otro lado. Realiza elevaciones de gemelos sobre el pie izquierdo durante 30 segundos, y a continuación vuelve al Ejercicio 1 de la pág. 180. Repite los Ejercicios 1-4 una vez más, y habrás terminado.

a

b

cultivar el amor interno

Recuerda algún momento de tu vida en que te sintieras bien contigo mismo/a. Quizá realizaste algo significativo, ganaste un premio, o conseguiste un ascenso en el trabajo. Fuese lo que fuese, evoca plenamente en tu conciencia el recuerdo de ese momento feliz.

Observa cada detalle de aquel momento. Intenta sentir ahora las emociones que sentiste durante aquel momento feliz. Acuérdate de los olores, imágenes, sonidos y sensaciones de aquel momento. Intenta recordarlo todo lo más vivamente posible. Tómate unos instantes para saborear la buena sensación que acabas de generar dentro de ti. Has de saber que estos sentimientos positivos están siempre ahí, dentro de ti, esperando a que los evoques en cualquier momento.

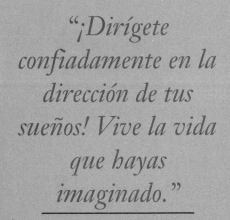

Nivel 3
Viernes

"¡Dirígete confiadamente en la dirección de tus sueños! Vive la vida que hayas imaginado."

—Henry David Thoreau

reflexión poderosa de jorge

La carne magra de vaca y las aves sin piel son excelentes fuentes de proteínas bajas en grasa y pueden constituir deliciosas comidas, si sabes cómo cocinarlas. Muchas personas se frustran cuando cocinan fuentes magras de proteínas porque creen que salen secas y correosas. Puedes conseguir que los alimentos proteínicos magros resulten tiernos y jugosos cocinándolos a bajas temperaturas. Las carnes magras (pechuga de pollo, lomo de cerdo o cortes magros de vacuno) se cocinan mejor con un método de cocción lenta, como pueda ser guisarlas o estofarlas en su jugo. Conseguirás mejorar el sabor si antes doras la carne, lo cual servirá para retener el jugo dentro de la pieza. A continuación, añade líquido, como caldo, vino o zumo, y cocínala a fuego lento.

"Has llegado muy lejos. Recompénsate a ti mismo. Cómprate un nuevo traje o vestido, pasa un día en un balneario, o adquiere billetes para un show o un concierto. ¡Te lo mereces!"

Ejercicios en 8 minutos®
jornada para el vientre

EJERCICIO 1: hundimiento abdominal con balón de ejercicio
músculo transverso del abdomen

a. Colócate en pie sosteniendo contra el abdomen, con ambas manos, un balón grande de ejercicio bien inflado (también llamado *gym ball* o balón de *fitness*). Espira por completo mientras traccionas el ombligo hacia la columna vertebral. Mantén la contracción durante 1 a 3 segundos. A continuación, al inspirar, intenta expandir el vientre contra el balón (apartándolo con el abdomen) mientras simultáneamente usas las manos para mantener el balón en posición, creando resistencia contra el vientre. Una vez que hayas inspirado por completo, mantén la expansión abdominal durante 1 a 3 segundos. Alterna entre las dos posiciones durante 1 minuto, y luego pasa al Ejercicio 2.

a

TABLA DE 8 MINUTOS				
ejercicio	ejercicio 1	ejercicio 2	ejercicio 3	ejercicio 4
series				
repeticiones				

EJERCICIO 2: la carpa con balón de ejercicio
músculo recto del abdomen

a. Colócate de pie con el balón de ejercicio delante de ti. Arrodíllate sobre el balón y camina con las manos hacia delante hasta que puedas colocar una palma y luego la otra sobre el suelo delante del balón, con las espinillas sobre éste. Sigue caminando lentamente hacia delante con las manos, hasta que te halles en posición de hacer fondos de brazos, con las espinillas sobre el balón y las manos en la vertical del pecho.

b. Tensa los abdominales para evitar que las caderas se comben hacia el suelo. Espira al flexionar las rodillas, acercando los muslos al pecho mientras, al mismo tiempo, haces rodar el balón hacia delante. Mantén la posición durante 1 a 3 segundos, y luego inspira al volver a la posición de partida. Alterna entre las dos posiciones durante 1 minuto, y a continuación pasa al Ejercicio 3 de la pág. 188.

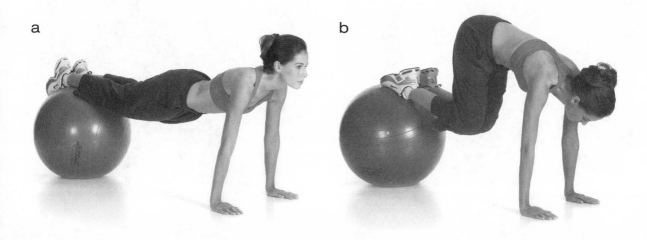

a

b

secuencia de ejercicios

1. calentamiento Trota o marcha sobre el sitio, sin desplazamiento, durante 1 minuto.

2. ejercicios cruise Realiza una repetición de 60 segundos de cada uno de los 4 Ejercicios Cruise. Al repetir este ciclo, habrás terminado en 8 minutos.

3. enfriamiento Después de tus Ejercicios Cruise, realiza estos estiramientos (ver pág. 79).

Alcanzar el cielo con las manos

Estiramiento del corredor de vallas

Estiramiento de la cobra

jornada para el vientre (cont.)

EJERCICIO 3: balanceo de piernas con balón de ejercicio
músculos oblicuos del abdomen

a. Échate boca arriba con los brazos extendidos lateralmente y las palmas vueltas hacia el suelo. Sujeta un balón de ejercicio entre los tobillos con las piernas extendidas hacia el techo.

b. Espira mientras bajas lentamente las piernas hacia la derecha. Intenta mantener ambos omóplatos pegados al suelo al realizar la torsión. Inspira mientras vuelves a la posición de partida, y a continuación espira al bajar las piernas hacia la izquierda. Continúa alternando entre derecha e izquierda durante 1 minuto, y pasa luego al Ejercicio 4.

a

b

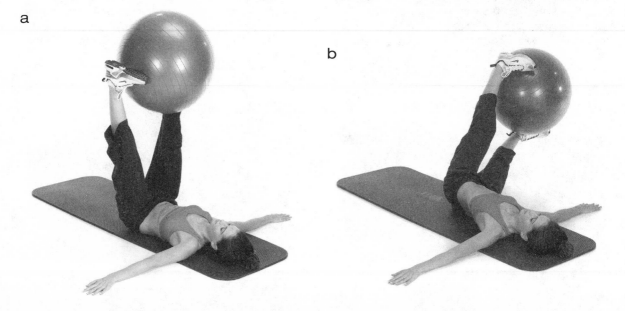

come nutritivamente, *no* emocionalmente® visualización

Hoy seguirás cultivando tu amor propio interno mediante visualización, esta vez observándote a ti mismo/a desde la perspectiva de alguien que se preocupe por ti y te admire. Cierra los ojos y realiza unas cuantas respiraciones profundas y relajantes, inspirando por la nariz y espirando por la boca. Deja que cada espiración te lleve a un estado de profunda relajación. Una vez que te sientas completamente relajado/a, estarás listo/a para empezar la visualización.

EJERCICIO 4: la uve con balón de ejercicio
tramo inferior del músculo recto del abdomen

a. Siéntate en el suelo con las piernas extendidas. Sujeta un balón de ejercicio entre las palmas de las manos, con los brazos extendidos a la altura del pecho.

b. Espira mientras te inclinas hacia atrás ligeramente y elevas las piernas hasta formar una Uve con el tronco. Mantén la elevación hasta 1 minuto, y a continuación vuelve al Ejercicio 1 de la pág. 186. Repite los Ejercicios 1-4 una vez más, y habrás terminado.

a

b

tú en el primer plano

Trata de verte a ti mismo/a a través de los ojos de alguien que realmente se preocupe por ti, como un amigo/a íntimo/a, tu esposo/a, o uno/a de tus hijos. Siente la misma admiración que esa persona siente mientras te observas a ti mismo/a a través de sus ojos. Trata de ver todas las buenas cualidades que tienes y que *ellos* ven a diario.

Obsérvate desde lejos mientras tus seres queridos se acercan hasta ti y te dicen cuánto te aman y te admiran. Observa su expresión mientras te hablan de tus buenas cualidades. ¿Qué es lo que dicen? Ahora imagina a más y más personas entrando en la habitación y mirándote con el mismo amor y admiración que tu ser querido. Mientras la habitación se llena de gente, comienzan a aplaudirte... ¡a ti!

Nivel 3
Sábado

"Tenemos dos vidas. La que nos es dada y la que nos construimos."

—Kobe Yamada

reflexión poderosa de jorge

Muchas personas me han preguntado si conviene que se concentren en los Ejercicios Cruise para su área problemática (su vientre) y omitan los ejercicios para el resto del cuerpo. Si te has preguntado lo mismo, la respuesta es "No". Tienes que concentrarte en los músculos de todo el cuerpo a fin de conseguir el incremento metabólico necesario para quemar la grasa de tu vientre. Por supuesto, claro que puedes conceder a tus músculos abdominales algo de atención suplementaria. Por ese motivo este programa te hace concentrarte en tu área problemática tres veces a la semana. Pero no debes nunca tratar de tonificarla trabajando sólo una zona del cuerpo. Eso, simplemente, no funciona.

"Renueva tu compromiso con tu meta. Recuerda: no sólo quieres un vientre precioso, sino que también quieres mantener tus nuevos hábitos saludables de por vida."

depuración del organismo
día libre de ejercicios cruise

Hoy es tu día libre de los Ejercicios Cruise, pero no un día libre del programa. Usa el día de hoy para mimarte por dentro y por fuera. Invierte algo de tiempo en relajarte, tanto mental como corporalmente. Lee esa novela que has estado posponiendo. Pasa algo de tiempo en el parque, escribiendo en el diario que te ofrezco en la página siguiente. ¡O échate la siesta por la tarde! Éste es tu día para descansar, relajarte y rejuvenecer, tu día para limpiar completamente tu organismo.

Para depurar tu organismo, sigue mi plan en tres pasos:

1. Bébete tu batido de *Psyllium plantago* para desayunar. El batido reemplaza al desayuno. No tomes nada para desayunar aparte del batido. (Para conocer algunas de mis marcas favoritas de batidos de psyllium, visita *www.jorgecruise.com/psyllium*.)

2. En el almuerzo y la cena elige como raciones de proteína opciones *no cárnicas*. Consulta el capítulo extra de la pág. 199 para encontrar ejemplos de comidas proteínicas vegetales.

3. Bebe ocho vasos de agua de 500 c.c. (o dieciséis de 250 c.c.), doblando tu ingesta normal de agua.

come nutritivamente, *no* emocionalmente®
visualización

Durante tu última visualización, aprendiste a cultivar el amor por ti mismo. Durante esta visualización, aprenderás a cultivar amor por los demás, especialmente por esas personas con quienes experimentas dificultades para llevarte bien. Cierra los ojos y realiza unas cuantas respiraciones profundas y relajantes, inspirando por la nariz y espirando por la boca. Deja que cada espiración te lleve a un estado de profunda relajación. Una vez que te sientas completamente relajado/a, estarás listo/a para empezar la visualización.

diario _____ _____
_____ _____
_____ _____
_____ _____
_____ _____
_____ _____
_____ _____
_____ _____
_____ _____
_____ _____
_____ _____
_____ _____
_____ _____
_____ _____
_____ _____
_____ _____
_____ _____
_____ _____

amar a tus enemigos

Observa mentalmente la imagen de una persona con quien tengas dificultades para llevarte bien. Pero, en vez de concentrarte en las cualidades negativas de esa persona, concéntrate en lo que la haga atractiva o simpática. Al principio, es posible que esto te resulte difícil, pero sé que puedes hacerlo. Visualiza las buenas cualidades y virtudes de esa persona. Quizá sea excelente escuchando a los demás o muy trabajadora. Trata de recordar algún momento en que te llevases bien con esta persona. Tal vez fue amable contigo durante un período de estrés. Cultiva este recuerdo en tu mente e intenta evocar cada detalle. Mientras lo haces, percibe una creciente sensación de amor en tu corazón. Termina tu visualización deseando que esta persona quede libre de sufrimiento. ¡Te sorprenderá cuánto afectan para mejor a vuestra relación tus deseos positivos!

Nivel 3
Domingo

> "No recibimos sabiduría; tenemos que descubrirla por nosotros mismos después de un viaje que nadie puede hacer por nosotros ni ahorrarnos."
>
> **—Marcel Proust**

reflexión poderosa de jorge

Con 300 calorías y 30 gramos de grasa cada uno, no sorprende que a los aguacates les hayan atribuido una mala reputación. Pero he aquí la buena noticia: los aguacates ahora son reconocidos por los expertos en nutrición por sus excepcionales virtudes para la salud. Es cierto que los aguacates son altos en grasa, pero es un tipo de grasa en su mayor parte monoinsaturada, saludable para el corazón (¡la grasa buena!). Contienen luteína, que es fundamental para una visión sana; ácido fólico, que ayuda a prevenir defectos congénitos, y una sustancia especial que reduce la cantidad de colesterol absorbido de la comida. Nuevos hallazgos también demuestran que los aguacates tienen casi el doble de vitamina E (importante para la salud de los músculos) de lo que antes se creía. Así pues, adelante, y pon en tu ensalada una rodaja de aguacate equivalente a ⅛ del mismo o úntate una cucharada de guacamol en un burrito mexicano para concederte un lujo delicioso y saludable.

"No hay nada en la vida que produzca una sensación más increíble que acabar algo en lo que has puesto tu corazón. Tu concentración y dedicación te han servido de ayuda para cambiar tu cuerpo y tu vida."

capta tus progresos
día libre de ejercicios cruise

Hoy es tu día libre. Tómate un momento para saborear tus progresos. Coge un bolígrafo y responde a las siguientes preguntas. Luego comparte las respuestas conmigo enviándome un mensaje de correo electrónico a *flatbelly3@jorgecruise.com*.

1. ¿Cuál es tu peso actual?

_____

2. ¿Cuál era tu peso antes de empezar?

_____

3. ¿Cuál es tu circunferencia de cintura en centímetros?

_____

4. ¿Cuál era tu circunferencia de cintura al empezar?

_____

5. ¿Qué has hecho bien esta semana? ¿De qué te sientes más orgulloso?

_____

_____

_____

_____

_____

6. ¿Qué podrías mejorar la próxima semana?

_____

_____

_____

_____

_____

come nutritivamente, *no* emocionalmente®
visualización

Hoy vamos a hacer un viaje al futuro, donde escucharás a un buen amigo/a describirte a alguien que no te conoce. ¿Sientes curiosidad? Realiza la siguiente visualización conmigo durante tan sólo unos minutos. Cierra los ojos y realiza unas cuantas respiraciones relajantes, inspirando por la nariz y espirando por la boca. Deja que cada espiración te lleve a un estado de profunda relajación. Una vez que estés completamente relajado/a, estarás listo/a para empezar.

judy thompson ¡bajó cuatro tallas!

"Gracias al programa 8 Minutos por la Mañana de Jorge Cruise, he perdido más de 18 kilos y he tenido que reducir mi cinturón 15 centímetros.

"El programa de Jorge hace que los ejercicios para el vientre resulten sumamente sencillos. Sea del nivel de dificultad que sea, apenas se tarda en completar cada sesión. De lo que más he disfrutado ha sido de los ejercicios del Nivel 3 que incorporaban el uso del balón de ejercicio. Descubro que no sólo consigo el beneficio de un ejercicio concreto, ¡sino que también me divierto tratando de mantener el equilibrio!

"Me he quedado atónita por mis resultados. Empecé con 93 kilos y ahora he bajado hasta algo menos de 75. Ni siquiera recuerdo pesar tan poco. Jorge me ha enseñado que sí tengo control sobre mi vida. Ahora tengo la confianza de que mantendré este peso. Me hace ilusión vestirme de fiesta y disfruto haciéndolo. Resulta muy agradable que la gente haga comentarios sobre mi talla y la apariencia de mi abdomen."

¡Judy Thompson perdió 15 centímetros de cintura!

tú (en palabras de otra persona)

Imagínate que pronto te presentarán por primera vez a Joe/Mary, un amigo/a de tu mejor amigo/a. Tu amigo/a y Joe/Mary se han reunido a tomar café cierto día y tu nombre ha salido a colación. Tu amigo/a dice a Joe/Mary: "Desde luego, tienes que conocerlo/a. Es un/a gran amigo/a y una magnífica persona". Joe/Mary pregunta: "¿Qué lo/la hace tan estupendo/a?". ¿Qué dice tu amigo/a sobre ti? ¿Habla de cómo estás siempre ahí con una sonrisa cuando él/ella te necesita? ¿Dice que eres comprensivo/a y compasivo/a? ¿O a toda prueba y valiente? ¿O quizá que tienes un gran sentido del humor o un agudo ingenio? Cuando Joe/Mary pregunta por tu aspecto, escucha cómo te describe tu amigo/a, desde tu color de pelo hasta tus piernas tonificadas, desde tu precioso lunar hasta tus maravillosos ojos. Sonríe, porque sabes que tu amigo/a te quiere muchísimo.

Capítulo Extra

Secretos adicionales sobre el vientre plano

¡depura tu organismo de falsa grasa!

Hasta aquí, te he proporcionado un sencillo proceso en dos pasos para reducir grasa abdominal. Tu primer paso (8 minutos de Ejercicios Cruise) te ha ayudado a generar el músculo necesario para quemar la grasa. Tu segundo paso (Come Nutritivamente, *No* Emocionalmente) te ha servido para favorecer aún más la generación de músculo magro y evitar la alimentación emocional.

Este capítulo te proporcionará algunos secretos adicionales que te ayudarán a acelerar tu éxito. Si sigues estos consejos, alcanzarás tu meta más rápidamente. También generarás más energía y te sentirás mejor de la cabeza a los pies.

librarse de la falsa grasa

Si estás tratando de tener el vientre completamente plano para una ocasión especial, como pueda ser una boda o una reunión, no puedes ignorar lo que llamo falsa grasa.

¿Qué es falsa grasa? Déjame que me explique. A veces la gente me cuenta que, hagan lo que hagan, su vientre sigue siendo prominente. Normalmente esta prominencia no se debe a la grasa. Proviene de aire, líquido o productos de desecho que provocan que los intestinos se hinchen. Los intestinos grueso y delgado miden la friolera de 7,6 metros. Cuando no consiguen que los alimentos digeridos trascurran eficientemente por ellos, las cosas se atascan, de forma muy similar a lo que ocurre en las caravanas de tráfico. Cuando esto sucede, tus intestinos se hinchan y el vientre se expande.

Ya te he ofrecido el secreto más importante para eliminar esa falsa grasa: tu depuración semanal del organismo. Sumada a la fibra extra que consumirás al seguir el Plato Combinado Cruise, te ayudará a mantener en movimiento el contenido intestinal, previniendo atascos que puedan provocar meteorismo y prominencia del vientre.

Verdaderamente, aumentar tu consumo de fibra es tu arma más importante contra la falsa grasa.

"Nunca te des por vencido, ni te rindas, ni abandones."

las ventajas de tus "8 minutos"

La fibra extra de tu Plato Combinado Cruise, junto con tu ritual de depuración semanal los sábados:

• Reducirán el meteorismo y los gases

• Mejorarán la salud intestinal

• Ayudarán a acelerar tu éxito

La fibra, al mezclase con los demás alimentos, forma una masa sólida que ayuda a que el bolo alimenticio recorra sin complicaciones el tracto intestinal. Esto no sólo mejora la regularidad en las evacuaciones, sino que ¡también reduce el meteorismo! La fibra extra también ayuda a reducir el colesterol y el hambre, y mantiene estables los niveles de azúcar en sangre.

Por último, ingerir una gran cantidad de fibra servirá para mantener bajo control las infecciones micóticas y por levaduras. Sé que algunas mujeres al parecer padecen una infección micótica crónica llamada *cándida*, que puede también provocar meteorismo.

Cuando aumentes tu consumo de fibra, hazlo gradualmente. Tu estómago y tus intestinos necesitarán tiempo para ajustarse al nuevo volumen de fibra. A medida que vayas ingiriendo más y más fibra, tu tracto intestinal aprenderá a segregar más de las enzimas digestivas adecuadas necesarias para descomponerla para su digestión. Así pues, ten paciencia y procede lentamente.

consejos para la depuración de tu organismo

Durante cada sábado de tu programa *8 Minutos por la Mañana para un Vientre Plano*, te he sugerido que depures tu organismo con tres pasos sencillos:

1. Empezar el día con un batido de psyllium.

2. Beber ocho vasos de 500 c.c. de agua (o dieciséis de 250 c.c.).

3. No comer proteínas animales en el almuerzo ni en la cena.

Muchas personas no se dan cuenta de que hay proteínas en muchos alimentos aparte de en los productos animales. Muchos alimentos vegetarianos contienen buenas proteínas de calidad que tus músculos necesitan para crecer y repararse. Como ventaja añadida, también ofrecen fibra (importante para mantener tu tracto digestivo funcionando sin complicaciones). Las legumbres y los productos derivados de la soja encabezan la lista de las fuentes de proteínas vegetales. Pero algunos cereales integrales también contienen elevadas cantidades de proteínas. He aquí algunos ejemplos de comidas con proteínas vegetales que puedes comer para el almuerzo o la cena los sábados.

1. **Bocadillo de "salchicha":** Una salchicha italiana sin carne de la marca Boca en un panecillo de cereal integral con mostaza y servida con brécol hervido.

2. **Fajitas:** puntas de filete de soja *Heartland Fields* salteadas con salsa barbacoa y mezcladas con cebolla y pimientos picados calentados en microondas, servidas en una tortilla mexicana de cereal integral.

3. **Dedos de "pollo":** *Buffalo Wings* (alitas de soja) de Morningstar Farms servidas con sopa de verduras y una rebanada de pan de cereal integral rematada con hummus.

4. **Bocadillo de "albóndigas":** Albóndigas sin Carne de Gardenburger servidas en un panecillo de cereal integral con salsa de tomate y una rebanada de queso mozzarella de soja Veggie Slice fundido y una guarnición de ensalada.

5. **Sushi:** Una tapa de edamame (soja cocinada al vapor) seguida de sushi vegetariano.

6. **Fritura de tofu:** Cortar en rebanadas tofu muy consistente y dorar durante 10 minutos en aceite de oliva a fuego medio, y luego añadir cualquier condimento y verduras congeladas mixtas.

7. **Pizza:** Masa casera de cereal integral rematada con salsa de tomate, hamburguesas de desayuno *Morningstar Farms Breakfast Patties* (desmenuzadas), pepperoni de soja *LightLife Smart Deli*, queso mozzarella, y cebolla y pimientos picados.

8. **Empedrado:** Arroz integral mezclado con cebollas, pimientos y judías negras.

9. **Sopa con ensalada:** Ración de sopa de judías negras, una ensalada verde mixta y una rebanada de pan de cereal integral bañado en aceite de oliva.

10. **Comidas vegetarianas congeladas:** Cualquiera de los platos precocinados de Amy's, especialmente la enchilada de frijoles y la lasaña vegetariana.

secretos adicionales

He aquí algunas otras cosas que puedes hacer para librarte de la falsa grasa.

Practica la guerra bacterioló-gica positiva. En todo momento, diversos tipos de bacterias (buenas y malas) viven en tu tracto intestinal. Normalmente las diferentes clases de bacterias se tienen bajo control las unas a las otras, de manera que ninguna bacteria mala pueda multiplicarse de manera descontrolada. No obstante, ciertas cosas, como, por ejemplo, el uso de antibióticos, pueden eliminar las bacterias inocuas, dejando que se multipliquen las nocivas. Cuando esto sucede, a menudo nos sentimos llenos de gas e hinchados. También puede provocar infecciones por levaduras.

Puedes evitar una sobrepoblación de bacterias malas comiendo alimentos y tomando suplementos que repongan tus poblaciones de bacterias saludables. El yogur es un excelente ejemplo de alimento que contiene bacterias inocuas. Busca yogur que incluya cultivos vivos y activos en la etiqueta (o una frase parecida). También puedes tomar suplementos, que se venden en las tiendas de productos saludables con nombres como *Lactobacilli*, *Bifidobacterias* y *Acidophilus*, que ahora, además, los fabricantes de yogur incluyen en sus productos.

Comprueba las sensibiliza-ciones alimentarias. Se sabe que algunos alimentos pueden provocar meteorismo a ciertas personas. Si tienes un problema crónico de meteorismo, elimina de tu dieta los productos lácteos y derivados del trigo durante una semana y luego vuelve a introducirlos uno por uno. Si te sientes mejor después de eliminar estos alimentos de tu dieta y peor cuando los vuelves a introducir, es posible que tengas una sensibilización alimentaria.

Los expertos afirman que el trigo se halla entre los siete alimentos más alergénicos. Contiene dos proteínas, gluten y gliadina, y es posible que seas sensible a una de ellas o a ambas. Si eres alérgico al trigo, no tienes que abandonar tus alimentos favoritos de hidratos de carbono. Diversos fabricantes venden ahora pasta, pan y otros productos tradicionalmente hechos de trigo, pero sin gluten. Como ventaja añadida, muchos de estos productos están hechos con harina de cereales integrales, como la quinoa y el mijo, que son extremadamente buenos para tu salud... ¡y tu cintura!

En cuanto a los lácteos, especialmente la leche de vaca, también pueden ser muy alergénicos para ciertas personas. Si eres intolerante a la lactosa, te falta una enzima crucial necesaria para descomponer la leche y digerirla. Además de evitar la leche y sus derivados, también tienes que leer las etiquetas, pues un derivado de la leche llamado caseína ahora se emplea cada vez más como agente aglutinante en muchos alimentos procesados. Si te preocupas por si puedes conseguir suficiente calcio sin tomar leche, te diré que sí que puedes. Basta con que tomes un suplemento una vez al día y bebas zumo enriquecido con calcio.

Atención a ciertos productos (los "sospechosos habituales"). Ciertos alimentos tienden a irritar el tracto digestivo, especialmente si padeces una afección llamada síndrome de colon irritable o colitis mucosa. Los alimentos muy ácidos, como las frutas tropicales, los cítricos, los tomates y sus derivados, pueden ser muy irritantes para algunas personas. Si se comen en suficiente cantidad, se producen muchos gases y uno se siente hinchado. La cafeína también puede ser irritante, al igual que el chocolate. Esto no significa que tengas que eliminar por completo de tu dieta estos alimentos. Sin embargo, probablemente necesites reducir las cantidades que ingieres. Observa tu dieta y nota cuántos de estos productos irritantes tiendes a comer. Si tomas un alimento ácido en cada comida (zumo de naranja en el desayuno, zumo de tomate en el almuerzo, salsa de tomate en la cena) trata de reducir a sólo un alimento ácido al día. Con un poco de experimentación aún puedes tomar los alimentos que te encantan sin que se te revuelva el tracto digestivo ante la perspectiva.

conviértete en un astro del adelgazamiento

He aquí un incentivo motivacional para seguir adelante. Después de alcanzar el peso que te hayas propuesto, envíame tu historia de éxito en el adelgazamiento. ¡Haciéndolo, entrarás en liza para ser seleccionado y conocerme en persona en un viaje con todos los gastos pagados al precioso San Diego!

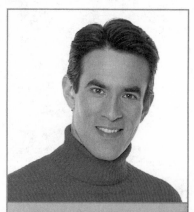

Además, si eres elegido, es posible que presente tu caso durante mis apariciones por televisión, en mis columnas de revistas, en mi sitio web, o en próximos libros. Te convertirás en un astro del adelgazamiento en todo Estados Unidos.

Así es como funciona: cada año, ofrezco una ceremonia de las rosas rojas en San Diego para mis clientes más inspiradores y exitosos. Con ayuda de mis colaboradores, elijo a 20 personas para el viaje anual. Recibirás gratuitamente un plan de transformación personal, nuevo vestuario y mantenimiento VIP diseñado exclusivamente para ti (por un valor de 10.000 dólares US). En la ceremonia, te presentaré ante un auditorio de más de 200 personas.

Inmortalizaremos el acontecimiento en imagen para poder compartir tu impresionante historia de éxito con todo Estados Unidos. Así pues, ¿estás listo/a para convertirte en un modelo de conducta inspirador para millones de personas?

modo de inscripción

Visita *www.jorgecruise.com/redrose* y bájate el formulario Red Rose Success Story (historia de éxito de la rosa roja). Rellénalo y envíalo por correo, junto con tus fotos del "antes" y el "después", a la dirección indicada en el formulario. ¡Buena suerte! ¡Te deseo lo mejor!

"Concederle a tu cuerpo la prioridad te da la salud y energía que necesitas para vivir tu vida en plenitud."

las páginas de sinergia

herramientas adicionales de jorge cruise

¿Listo/a para más? Echa una ojeada a estas maneras sinérgicas de elevar de nivel el plan de control de peso de Jorge Cruise.

jorgecruise.com: el club de adelgazamiento *online* para gente ocupada

Mantenerse motivado es posible que resulte a veces complicado. Puede ser duro afrontarlo todo tú solo. Como cibercliente mío, tendrás acceso directo a mí y a mis entrenadores EN VIVO para asegurar que pierdas 1 kilo a la semana en 8 minutos. Tener esta clase de apoyo puede marcar la diferencia entre llegar a la meta y correr sobre el sitio, sin avanzar nada.

7 razones principales para inscribirse

1. Responsabilidad: recibe diariamente ánimos míos.

2. Aceleración de resultados: para conseguir sacar el máximo partido de tus sesiones de 8 minutos y de tu planificación de comidas, experimenta el entrenamiento diario EN VIVO con mis entrenadores, formados directamente por mí.

3. Acaba con el autosabotaje: únete a encuentros virtuales diarios dirigidos por mis mentores de los 8 minutos que han vencido la alimentación emocional.

4. Hazte amigos: motivación y apoyo permanente 24 horas al día, 7 días a la semana, en nuestro Círculo de Capacitación.

5. Herramientas exclusivas: sigue atentamente tu adelgazamiento, controlándolo con nuestras herramientas especializadas en línea.

6. Los últimos secretos de los 8 minutos: ¡asiste a auditorios EN VIVO conmigo y también con todos los demás miembros!

7. Siéntete motivado: como regalo mío, cada vez que pierdas 2,5 kilos recibirás de mi parte, a través del correo, un reconocimiento muy especial... ¡mi "Imán de la Rosa Roja" para ayudarte a celebrar tu éxito y que sigas perdiendo peso!

Ingresar en nuestro club es como ingresar en una familia.

la serie de libros

Monta tu colección de libros de Jorge Cruise y conoce todos mis secretos: ¡así conseguirás perder con mayor facilidad hasta 1 kilo a la semana en tan sólo 8 minutos! La actual colección completa incluye:

8 Minutos por la Mañana

8 Minutes in the Morning for Real Shapes, Real Sizes[1]

8 Minutos por la Mañana para un Vientre Plano

8 Minutes in the Morning to Lean Hips and Thin Thighs[2]

Todos ellos pueden conseguirse en forma de libro y en kit de audio (por ahora sólo en inglés). Visita *www.jorgecruise.com/books* para consultar todos los detalles y ediciones internacionales.

el sistema de vídeo

¡Experimenta personalmente mi estilo de entrenamiento dinámico en tu propio hogar!

Con este vídeo de alta energía sentirás que estás a mi lado, tu entrenador de adelgazamiento. Te guiaré, paso a paso, durante una semana de mis ejercicios superrápidos en 8 minutos. No podría ser más fácil. Para mayor información, visita *www.jorgecruise.com/video system*, pero mira lo que ofrece mi vídeo:

• Un excelente complemento a este libro

• No requiere equipo especial

• Música motivadora y energética para hacerte más ameno el proceso

aceite de lino jorge cruise®

¡Una herramienta esencial para ayudar a generar tu nuevo tejido muscular magro que quema grasa! El Aceite de Lino Jorge Cruise es un complejo líquido de ácidos omega-3 totalmente natural que ayuda a controlar el hambre y sabe estupendamente con la comida. Utilízalo como aliño de ensalada, mezclado con yogur o batidos, con tostadas en el desayuno, ¡y otras muchas posibilidades! Basta una cucharadita con cada comida para que suprimas tu ansia de comer. También puede adquirirse en forma de cápsulas. Para más información, visita *www.jorgecruise.com/flaxoil*, pero toma nota de lo mejor del aceite de lino:

• Sostiene la generación de músculo magro

• Carece absolutamente de estimulantes

• Incluye la enzima natural lipasa, que quema la grasa

---

[1] Lit. "*8 Minutos por la Mañana para Tipos y Tallas Reales*". *(N. del E.)*

[2] Lit. "*8 Minutos por la Mañana para unas Caderas y unos Muslos Delgados*", obra no traducida aún al español. *(N. del E.)*

acerca del autor

Jorge Cruise: el Especialista en Adelgazamiento Número 1 de Estados Unidos

"El tiempo es tu posesión más preciosa... No lo malgastes."

—Jorge Cruise

Jorge Cruise luchó con su peso de niño y de joven. Hoy día, se ha convertido en el especialista en adelgazamiento *online* número uno para gente ocupada, con *más de 3 millones* de clientes en *JorgeCruise.com*, en el columnista "entrenador para adelgazar" de la revista *Prevention*, con *11 millones de lectores*, así como en autor superventas según el *New York Times* con su serie de libros *8 Minutos por la Mañana*.

Lo que diferencia a Jorge Cruise® de todas las demás marcas de adelgazamiento es su garantía de que *perderás hasta 1 kilo a la semana con sólo 8 minutos al día*. Su secreto reside en una revolucionaria filosofía en dos pasos que restaura tu metabolismo generando nuevo músculo magro. El músculo magro te hace parecer joven, tonificado y, lo más importante, ¡quema grasa 24 horas al día!

Jorge ha aparecido en los prestigiosos diarios *New York Times* y *USA Today*, en las revistas *People*, *Woman's World*, *First for Women*, *Self*, *Shape*, *Cosmopolitan* y *Fit*, y en los famosos programas de televisión *Oprah*, *Good Morning America*, *Dateline NBC* y *The View*, así como en las cadenas CNN y Lifetime TV.

Ningún otro especialista en adelgazamiento ha conseguido que tanta gente informe de que su sistema funciona de verdad para perder sistemáticamente 1 kilo a la semana en tan sólo 8 minutos al día, lo que convierte a Jorge en uno de los especialistas en adelgazamiento más actualizados y solicitados tanto por Internet como fuera de este medio.

Jorge ha estado también nominado para el título de Instructor de *Fitness* del Año por IDEA, la asociación nacional estadounidense de profesionales del *fitness*, y fue nombrado por Arnold Schwarzenegger asesor especial del Consejo de Puesta en Forma y Deportes del Gobernador de California. Además, Jorge es también miembro de la Asociación de Periodistas especializados en el Cuidado de la Salud, una organización sin ánimo de lucro dedicada a mejorar el conocimiento público sobre estos temas. Habla con fluidez tanto el inglés como el español.

Basándose en los títulos y conocimientos que consiguió en la Universidad de California en San Diego (UCSD), la Universidad Dartmouth, el Instituto Cooper de Investigación sobre Aerobismo, el Colegio Estadounidense de Medicina Deportiva (ACSM) y el Consejo Estadounidense de Ejercicio Físico (ACE), Jorge se dedica a ayudar a personas faltas de tiempo a adelgazar y lograr sus sueños. Vive en San Diego con su esposa, Heather. Es posible ponerse en contacto con él a través de su web *JorgeCruise.com*.

Mi chica, Heater, y yo.